D1261072

Douze chansons pour Évelyne

Fredric Gary Comeau

Douze chansons pour Évelyne

roman

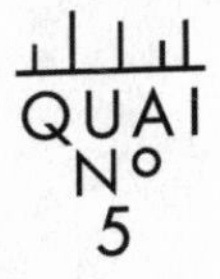

Catalogage avant publication de Bibliothèque et Archives nationales du Québec et Bibliothèque et Archives Canada

Comeau, Fredric Gary

Douze chansons pour Evelyne

(Quai nº 5)

ISBN 978-2-89261-996-6

I. Titre. II. Collection: Quai nº 5.

PS8555.O515D68 2016 C843'.54 C2015-942609-X

PS9555.O515D68 2016

Les Éditions XYZ bénéficient du soutien financier du gouvernement du Québec par l'entremise du programme de crédit d'impôt pour l'édition de livres et de la Société de développement des entreprises culturelles du Québec (SODEC). L'éditeur remercie également le Conseil des arts du Canada de l'aide accordée à son programme de publication.

Financé par le gouvernement du Canada | Canadä

Direction littéraire: Tristan Malavoy-Racine

Révision linguistique: Sophie Marcotte

Correction d'épreuves: Élaine Parisien

Conception typographique et montage: Édiscript enr.

Conception et graphisme de la couverture: David Drummond [salamanderhill.com]

ISBN version imprimée: 978-2-89261-996-6

ISBN version numérique (PDF): 978-2-89261-997-3

ISBN version numérique (ePub): 978-2-89261-998-0

Dépôt légal: 2e trimestre 2016

Bibliothèque et Archives nationales du Québec

Bibliothèque et Archives Canada

Diffusion/distribution au Canada:

Distribution HMH

1815, avenue De Lorimier

Montréal (Québec) H2K 3W6

www.distributionhmh.com

Diffusion/distribution en Europe:

Librairie du Québec/DNM

30, rue Gay-Lussac

75005 Paris, FRANCE

www.librairieduquebec.fr

Imprimé au Canada

quaino5.com

À Karen Elkin

À cent soixante à l'heure tu
choisis pas ta route.

Léo Ferré

1

L'air est lourd, presque liquide. Mai est plus doux qu'à l'ordinaire. Un goût de cendre s'est posé sur ma langue qui peine à s'éveiller. Entre mon crâne et mes pieds, tout ce qui peut craquer se met à craquer. Tout ce qui peut tourbillonner se met à tourbillonner.

La saison s'est ouverte sur une chanson oubliée. Je n'avais pas entendu *La valse à mille temps* depuis des lustres et voilà qu'elle s'insinue dans ma vie depuis trois jours. Depuis que je suis revenu des Laurentides après avoir passé trois mois dans ce chalet de Val-David, à essayer de composer ce qui pourrait ressembler à une nouvelle collection de chansons – ce que je m'acharne toujours à appeler un album.

Je ne sais pas si j'ai réussi. D'autres me le diront. D'autres jugeront si, oui ou non, j'ai perdu mon temps là-bas dans la forêt, coupé du monde. Enfin, coupé du monde, mais à moins d'une heure d'un bon café… Quand j'ai cherché un lieu pour aller créer, j'en ai fait une obsession : je voulais bien me perdre dans la nature, confronter seul les démons de la création et de la procrastination, mais il me fallait absolument avoir accès à un café *troisième vague*. Quiconque animé d'une démarche un peu sérieuse aurait accepté de boire des Nespresso pendant trois mois s'il le fallait afin de mener son projet à terme, mais moi, je n'ai jamais été très sérieux. Le plaisir est toujours passé avant tout.

Le retour est brutal. Je suis un ours, affamé après s'être terré si longtemps entre les arbres. Je ne resterai certainement pas de marbre lorsque je sentirai l'appel, le grognement mélodique du dieu mouvement. Je chercherai à disparaître comme je sais si bien le faire, incapable que je suis d'affronter ne serait-ce qu'une brise lointaine parente d'un vent contraire.

*

Aujourd'hui, je dois rencontrer le directeur artistique des Disques Straram. J'en suis à lui faire entendre le bruit de mon labeur.

David Langlais a la jeune cinquantaine et de très bonnes oreilles. Contrairement à beaucoup de mes congénères œuvrant dans le monde de la chanson, je fais confiance à mon D.A. Nous devons nous retrouver dans un café de l'avenue Viger, dans le Vieux-Montréal. Le Café Différance est tenu par un jeune Mexicain qui maîtrise comme peu de gens l'art de faire un bon café. Il y a là, en plus, une très belle lumière de fin d'après-midi.

Je me suis réveillé vers midi. J'ai bu trois cafés et me suis fait un smoothie avec des fraises, des bananes, des bleuets, des baies açaï et du gingembre. Après m'être douché, j'ai enfourché mon vélo et j'ai écouté mes douze nouvelles chansons en boucle, en roulant de mon appartement de la rue Préfontaine jusqu'au bout du canal de Lachine. Je voulais sentir le mouvement sous les chansons. Je voulais pleinement les intégrer avant de les partager pour la première fois.

Avant de me rendre au Café Différance, je me suis aussi arrêté au Spa Scandinave-les-bains. J'ai fait le circuit thermal quatre fois et me suis fait masser pendant une heure. C'est en sortant dans la rue que j'ai entendu *La valse à mille temps* pour la troisième fois en trois jours. Ce n'était qu'un fragment de la chanson, quelques notes sortant d'une Volvo S60 rouge roulant rue De La Commune.

Le rouge est la couleur préférée d'Évelyne.

2

L'année dernière. Un voyage. Six mois à errer avec Évelyne entre Montréal et México. Six mois de motels crades, de *couchsurfing* chez des étrangers, de locations par Airbnb, plus rarement d'hôtels très confortables dénichés sur Booking.com ou Groupon. Six mois magiques à faire l'amour dans tous les sens, à chercher l'envers de toute chose et à en avaler la beauté.

Aujourd'hui, plus rien. Elle est partie sans laisser derrière elle ne serait-ce qu'un bout de papier griffonné en guise d'adieu. Pas un courriel, pas un message Facebook, pas un texto, pas même un cliché sur Instagram ou Flickr. Son numéro de portable n'est plus en service. Sa page Facebook a été retirée de la circulation, son compte Pinterest est mort. Elle s'est oblitérée. Virtuellement, à tout le moins. Elle n'a plus du tout d'identité en ligne.

Je ne pensais pas pouvoir provoquer une réaction aussi forte. Voilà, encore mon ego qui s'envole. Tout ça n'a peut-être absolument rien à voir avec moi, au fond. C'est difficile pour moi d'imaginer que quelque chose n'a rien à voir avec ma personne, or, je dois l'admettre, c'est non seulement possible mais probable.

Je l'ai cherchée. J'ai même engagé quelqu'un. Après trois mois sans succès, j'ai abandonné et suis allé écrire douze chansons dans la forêt. Douze chansons pour Évelyne. Comme Bon Iver et son *For Emma, Forever Ago*. Sauf que ce n'était pas du tout *forever ago*, mais bien récent et bien réel. J'ai au moins appris quelque chose sur moi. Je ne suis pas un homme d'action. Je ne me suis pas acharné à trouver des réponses dans quelque milieu interlope. J'ai composé de petites chansons pour cette fille un peu folle que j'ai aimée intensément sans réellement la connaître.

3

Café Différance. David est en retard, comme à son habitude. C'est presque obligatoire d'être en retard dans ce milieu. Il ne faut jamais paraître pressé, ne jamais montrer d'impatience. J'en profite pour poursuivre ma lecture de Spinoza. Depuis la disparition d'Évelyne, je me suis mis à lire de plus en plus de philosophie.

David arrive à l'instant exact où j'entame mon troisième paragraphe. Ça tombe bien, j'en ai déjà assez. J'aurais dû me mettre à lire de la poésie plutôt que de la philosophie, ou choisir un philosophe qui poétise. Demain, ce sera Cioran et ses dissolutions.

— Monsieur Langlais !

— Monsieur Bourque !

— Comment va la vie qui va, ah ?

— Ainsi.

— Et votre vinaigrette ?

— Je la vis. Et vos chansons sylvestres ?

— Je crois qu'elles sont passables. Je touche du bois.

— J'ai mes écouteurs. Passez-moi votre iPhone.

— Voici, voici. C'est tout nu. Guitare et voix. Je vais me battre pour garder ça comme ça avant de succomber aux tentations des arrangements remplis de sales instruments joués par d'encore plus sales musiciens.

— Comme d'habitude, mon très cher, comme d'habitude.

— Je vais me fermer la gueule et vous laisser écouter tout ça, maintenant. Je vais prendre l'air une petite heure et je reviens.

— *Godspeed, you pasty white emperor!*

Dehors. Je reprends mon vélo et je file vers l'ouest. Je pédale dans la rue Notre-Dame une dizaine de minutes et m'arrête une fois arrivé au Café Saint-Henri, dans le quartier qui porte le même nom. J'entre, me commande un *latte* et m'installe sur l'un des bancs très peu confortables (c'est une règle non écrite: tout café *troisième vague* qui se respecte doit être pourvu de sièges le moins confortables possible).

Je savoure lentement mon café en prenant de très longues respirations et en me répétant un mantra appris il y a des décennies dans un centre bouddhiste de Halifax. Au milieu des années quatre-vingt-dix, je passais des heures à marcher avec un groupe d'illuminés ou d'aspirants illuminés, en me répétant des syllabes dont je ne comprenais pas du tout le sens. Ça me faisait du bien. Je ne sais pas plus ce que je me répète aujourd'hui, mais ça finit par me calmer. *Upper/downer.* Caféine, méditation. *Yin and fucking yang.*

Après plusieurs minutes de syllabes en spirale, je me lève, vais aux toilettes pour la cinquième fois depuis une heure et sors reprendre la route avec mon vélo. Cette fois, je vais vers le nord. Je me rends à NDG, m'arrête à la bibliothèque, prends un recueil de poèmes de Jacques Brault et en lis quelques extraits. Ça me calme encore plus que les mots tibétains. Ça m'inonde de blanc.

4

Je n'ai pas eu le courage. Je ne suis pas retourné au Café Différance afin d'entendre le verdict de David Langlais sur ma petite collection de chansons à la mémoire d'Évelyne, ma ballerine égarée, écho d'une autre ballerine rencontrée au fin fond d'une caverne en Cappadoce, dans une autre vie.

Je suis parti de la bibliothèque et me suis dirigé vers Côte-des-Neiges, où je me suis arrêté dans une autre bibliothèque. Cette fois, j'ai lu plusieurs vers de la traduction de *Beowulf* de Seamus Heaney. Je me suis assoupi un peu, me suis réveillé avec de la bave au coin de la bouche et suis ressorti. J'ai poursuivi vers le nord, tourné vers l'est sur Gouin et vers le sud une fois arrivé à Christophe-Colomb. J'avais besoin de voir mes amis. Camille et Gabriel sont dans ma vie depuis presque quinze ans. Ils me connaissent mieux que toute personne avec laquelle je n'ai pas couché. Chaque fois que je me suis évadé d'une relation trop contraignante, j'ai atterri chez eux. Ce sont aussi eux qui m'ont ramassé à la petite cuillère lorsque Évelyne est partie vers ses absences.

Arrivé devant leur maison, à deux pas du parc La Fontaine, j'ai sonné. Après une petite minute, Camille est venue m'ouvrir.

— Tony boy !

— Comment tu vas, petite ?

— Bien, bien. Entre !

— Gabriel est là ?

— Non, il est parti à Barcelone avec Fred pis Frank.

— Ses amis de McGill ?

— Exact.

— Une semaine ?

— Genre. Je viens d'ouvrir un super bon rouge.

— Qu'est-ce que c'est ?

— Bodega Catena Zapata « Nicolás Catena Zapata », un argentin de 2009. Quatre-vingt-quatorze points dans le *Wine Spectator* ! Je l'ai pogné à New York, la semaine passée.

— *Motherfuuuuuucker! Gimme some of that rotten grape juice, wine lady!*

— Attends qu'il respire un peu. Commence par le humer. Qu'est-ce que tu sens ?

— Mmmmm ! Terreux, épicé, mûre, un peu d'anis.

— Pas pire, pas pire !

— Il est comment, en bouche ?

— Cuir, chocolat noir, framboise, mûre, cerise. Plutôt long en bouche.

— Fuck yeah !

— Attends !

— Yes sir, madame !

— Bon, qu'est-ce qui se passe ? T'avais pas un meeting avec Langlais aujourd'hui, toi ?

— Yep.

— Pis ?

— Sais pas.

— Comment ça ?

— Je lui ai laissé mon iPhone pis j'ai fait le tour de la ville en vélo. Pis après je suis venu ici.

— Tu veux pas savoir ce qu'il en pense ?

— Pas encore.

— Quand ?

— Plus tard.

— OK, cool. D'la marde, on boit.

— À vos ordres, capitaine !

— Veux-tu des olives ?

— Pourquoi pas ?

— Fromage ? Pain ?

— Affirmatif.

— Musique ?

— Mister Miles fucking Davis, *thank you very much.*

— *Birth of the Cool* ?

— Tu me connais si bien.

— T'es rendu où, dans ta tête, par rapport à Évelyne ?

— Nulle part. Exactement comme elle.

— Penses-tu que tu sauras, un jour ?

— Peut-être.

— Ce qui veut dire non.

Après avoir bu cette merveilleuse bouteille de rouge, nous sommes passés aux choses sérieuses. Nous avons mangé du foie gras parfaitement poêlé, accompagné de quelques bouteilles de cidre de glace, puis nous sommes descendus au sous-sol afin d'aspirer les divines vapeurs sortant de la « machine allemande ». Ce jour-là, nous faisions chauffer une variété rapportée de Monkeytown, Acadie. C'est mon ami Florent Stein qui me l'avait dénichée.

Florent sait toujours trouver ce qu'il y a de meilleur, partout où il va. Il a un talent inné pour ça. Je n'ai jamais connu quelqu'un ayant une telle capacité à se faire des amis, prêts à lui dévoiler leurs secrets à la vitesse de la lumière. Il aurait fait un espion remarquable. Il l'a peut-être été, d'ailleurs. Il y a quelques trous dans son CV que je n'ai jamais réussi à remplir.

5

Le milieu de la nuit. Je n'ai toujours pas parlé à Langlais. Je n'ai parlé à personne depuis que je suis rentré de chez Camille. Je vais probablement aller me cacher, comme d'habitude. Je supporte très bien la critique, à condition qu'elle vienne de gens pour lesquels je n'ai aucun respect.

Je ne veux pas retourner dans la forêt, mais je ne peux pas rester à Montréal. Je vais essayer de me trouver un billet pour partir demain. Je ne sais pas trop où j'ai envie d'aller. C'est le hasard qui va décider. J'irai où me mènera le premier billet que je trouverai en dessous de mille deux cents dollars. Ça fait cent dollars la chanson. C'est parfait. Un billet ouvert pour un an, en plus.

Je trouve l'iPad, je vais sur Priceline, et voilà! Tōkyō avec Japan Airlines. Départ dans deux jours. J'entre le numéro de ma carte de crédit et j'achète. Il ne me reste plus qu'à faire mes valises.

6

J'ai décidé de ne pas dormir. J'ai médité pendant deux heures, bu un smoothie et un café et j'ai sauté sur Gérald. Gérald, c'est mon vélo. C'est comme ça que l'a baptisé le gentil personnel de chez Dumoulin Bicyclettes. C'est un modèle hybride, comme moi. Il peut apprécier autant le lisse que le rugueux.

Je roule sur la piste cyclable longeant Notre-Dame vers l'est. Je veux me rendre au parc de la Promenade-Bellerive et prendre le traversier jusqu'aux îles de Boucherville. J'ai envie de voir des biches.

Une fois aux îles, je roule sans cesse pendant deux heures. Je ne porte presque pas attention aux chevreuils. J'ai la tête à Tōkyō. Je ne sais pas ce que je vais trouver là-bas, mais je dois dire que j'ai envie d'y aller depuis l'enfance. Quelque chose de la culture japonaise m'attire depuis toujours. Le côté obsessionnel, je crois, la recherche de raffinement et l'extrême brutalité qui n'en est jamais loin.

Je sais que je ne devrais pas partir, mais je vais quand même partir. Je suis incapable de faire face au jugement de Langlais. Ces chansons n'ont pas encore assez mûri. Je dois m'en éloigner afin de pouvoir les entendre de nouveau sans vouloir tout faire péter. Je ne sais pas combien de temps ni quelle distance sera nécessaire, mais je dois partir. Une fois rentré à la maison, je note que j'ai des messages sur mon téléphone fixe. J'ai bien fait de le garder puisque je ne sais pas du tout quand je vais récupérer mon iPhone.

Je prends l'appareil, le porte à mon oreille. Je ne fais pas le nécessaire pour écouter les messages. J'écoute plutôt le silence en imaginant sa voix. La voix d'Évelyne a (avait ?) juste ce qu'il faut (fallait ?) de voile. Ça me fait chavirer. Chaque fois que je l'entends ou même l'imagine.

7

Je suis paré pour le départ. J'ai mon passeport, mon sac, mes yens. J'attends mon ami Léo. Il va me conduire à l'aéroport. Il devrait arriver d'une minute à l'autre. Léo, c'est mon Moriarty à moi. Il est à la fois le personnage un peu fou mais tellement attendrissant du roman de Kerouac et l'adversaire du Sherlock Holmes de Conan Doyle. Il me veut du bien, de temps en temps, et lorsqu'il me veut du mal, il est profondément convaincu que c'est pour mon bien.

J'ai connu Léo dans un autobus scolaire. Nous avons parlé de motoneige. Il y a eu de l'enthousiasme, de l'ironie et juste assez de mauvaise foi. Comme le trajet vers l'école était plutôt long, nous avons eu le temps de parler de motos, de voitures, de bateaux et de chevaux. Nulle mention de châteaux, d'éléphants, de périple entre l'Anatolie et le Portugal, ni même de la blancheur éclatante des geishas un jour de pluie à Kyōto.

Notre dynamique s'est installée tout de suite. Nous nous sommes reconnus. Nous avions la conviction que nous étions deux branches un peu trop tordues d'arbres solidement enracinés dans une terre de possibles. Nos pères brassaient des affaires. Ils créaient du concret. Nous, nous fabriquerions du vide. Nous chercherions les envers, appellerions les revers, apprendrions à cracher dans la direction de tout vent contraire sans jamais sentir le coup de fouet de notre propre salive. C'était ça, le programme. Nous savions déjà que nous nous offririons à la fois le meilleur et le pire de nous-mêmes et pour longtemps. Après trente ans, nous nous sommes usés à la corde en tentant d'inventer ou d'imaginer ce que serait notre usage spécifique du monde.

*

La musique. Deux garçons de quinze ans finiraient sûrement par parler de musique. Pas durant le premier voyage. Pas avant toutes les autres conneries qui animent les esprits de jeunes pousses impatientes d'envelopper le soleil.

Dans la maison. La découverte de son monde blanc. Léo avait des parents obsédés par le blanc. Tout le mobilier l'était. Les cadres sur les murs également. Dans les bibliothèques, il n'y avait que des livres qui parlaient de succès, d'argent et d'épanouissement personnel. Partout où nous allions, deux caniches blancs nous suivaient pas à pas. Dans la cuisine, dans les chambres, dans l'énorme salle de jeu, au bord de la piscine et, finalement, dans la salle de musique, où nous avons écouté sur disque compact (c'était tout nouveau, nous étions en 1985) plusieurs enregistrements de symphonies de Beethoven.

Quand le soleil s'est levé sur la baie, nous étions toujours sous l'emprise de von Karajan.

8

Léo arrive. Il n'est pas vraiment en retard mais il semble quand même impatient quand je monte dans sa Land Rover bleue. Il me lance un regard dans lequel je peux deviner la nuit qu'il a dû passer. Je sais que ça brasse en ce moment entre lui et Shirin, sa copine iranienne. Je sais qu'il est sur le point de tout faire basculer. Il a toujours eu besoin de créer des conflits afin de se donner l'énergie nécessaire pour entamer un nouveau projet artistique.

— Qu'est-ce qui t'arrive ?

— Quoi ?

— T'as tellement l'air fatigué. Tu t'es engueulé toute la nuit avec Shirin ou quoi ?

— La câlisse ! J'suis plus capable ! Elle va toujours tellement trop loin. Fucking arrogance sur deux pattes.

— Deux magnifiques pattes, quand même.

— C'est tellement typiquement toi, ça. Tout ce qui compte pour toi, c'est le corps. T'es juste une fucking libido qui va çà et là sans se soucier des ravages qu'elle cause.

— C'est un peu dur, quand même.

— C'est la fucking vérité. Tu devrais pratiquer l'abstinence pour un an. Tu verrais plus clair.

— Ça va. Ça fait déjà six mois. C'est peut-être assez, non ?

— Non. Évelyne t'a fait un cadeau. Elle a eu raison d'aller se cacher, de te laisser mariner dans tes jus malsains. Quand tu seras prêt, quand t'auras appris à te connaître juste un petit peu, elle va revenir. Je le sais. J'ai une intuition infaillible, tu le sais très bien. C'est pour ça que je termine jamais un roman. Je sais tellement ce qui va se passer. Avec les gens aussi. Tout le monde est tellement prévisible. Il manque cruellement de mystère dans le monde.

— Shirin, elle est toujours chez toi ?

— Ben oui. C'est moi qui vais être obligé de partir. Une femme, ça s'incruste. Ça infecte toute ta vie. Je vais faire comme toi. Je vais crisser mon camp soit au Viêtnam, soit à Nagasaki.

— Pourquoi Nagasaki ?

— La brume. Je sais que je pourrais faire les photos que je dois faire dans la brume de Nagasaki.

— Tu devrais te prendre un billet pour Tōkyō sur le même vol que moi. Ça, ça surprendrait Shirin comme il faut.

— J'ai pas mes appareils photo avec moi.

— T'en achèteras d'autres là-bas. Je sais que t'as toujours ton passeport sur toi au cas où tu déciderais de conduire vers le sud pis de te rendre au Colorado.

— C'est vrai.

— Alors ? Qu'est-ce qui t'arrête.

— J'sais pas. J'ai des responsabilités.

— Envers Shirin ? C'est une grande fille, et en plus, tout ce qu'elle sait faire en ce moment, c'est te faire chier. Je suis certain qu'un peu de distance vous ferait du bien à tous les deux.

— Un peu de distance ? C'est quand même à l'autre bout du monde.

— Le monde est minuscule.

— Je déciderai rendu à l'aéroport. Si je trouve un billet intéressant, j'y vais.

— Intéressant comment ? Par rapport au prix ?

— Non ! Tu sais bien que je me contre-câlisse de l'argent. Un bon billet en première classe avec le bon numéro de siège.

— Ce serait quoi, le bon numéro de siège ?

— Douze.

— …

9

Aéroport Pierre-Elliott-Trudeau. Le siège numéro douze du vol de Japan Airlines qui va me conduire jusqu'à Tōkyō est déjà pris. Je vais donc faire ce voyage seul. Léo et moi nous sommes installés à une table de l'un des bars de l'étage des départs. Il gesticule sans arrêt en me racontant les crimes de Shirin.

— Elle me méprise, en plus.

— Comment ça ?

— Je le sais. Je le sens. Je me trompe jamais.

— T'as jamais l'impression de te tromper, en tout cas. Tu souffres pas d'incertitude chronique, comme moi.

— C'est parce que toi, t'es faible. T'as aucune force de caractère. T'es fucking bonasse !

— Oui, je l'sais. Tu me l'as répété mille fois.

— Je t'ai toujours dit la vérité.

— Effectivement. Je pourrai jamais t'accuser d'avoir trop de retenue ou de passer par quatre chemins.

— Pas de temps à perdre.

— Qu'est-ce que tu vas faire ?

— Quoi ?

— Pour Shirin ?

— J'sais pas. Je pense que je vais rouler vers le Vermont aujourd'hui. Je m'arrêterai quand je serai plus capable de conduire. Probablement après une vingtaine d'heures.

— Tu veux te rendre au Colorado ?

— Nouveau-Mexique, plutôt. Je veux aller à Albuquerque. Il y a une exposition de Joel-Peter Witkin en ce moment.

— Celui qui travaille avec des cadavres ?

— Exactement.

— Ça va t'aider à voir clair par rapport à Shirin, tu crois ?

— Faire de la route, oui, ça va m'aider. L'expo, c'est juste pour le plaisir.

— Tu vas passer à la maison prendre tes appareils ?

— Non, j'ai toujours un de mes Leica avec moi dans mon truck. Je m'achèterai d'autres lentilles en chemin.

— Je croyais que t'avais pas d'appareils avec toi.

— Un ostie de Leica, ça compte pas…

— Tu veux faire quoi, comme photos, là-bas ?

— Des magasins délabrés avec des pancartes en espagnol.

— Tu vas la contacter, au moins ? Tu vas lui dire que tu t'en vas ?

— Pourquoi ?

— C'est toujours le fun de le savoir quand la personne avec laquelle on partage notre vie décide de disparaître. J'en sais quelque chose.

— Vous êtes tous pareils. Vous êtes tous des bébés. La vie est comme ça. On va, on vient.

— On est tous pareils ? Qui ça ?

— Vous autres ! Ceux qui s'attachent !

— Tu ne t'attaches jamais ?

— Juste à mes coiffeuses.

J'ai manqué mon vol. Trop tergiversé entre les mérites de tel et tel café avec Léo. Quand il a eu terminé sa diatribe au sujet de sa dulcinée d'Ispahan, nous nous sommes lancés dans une discussion enflammée sur les qualités du café Pikolo et celles du Pourquoi pas, puis les avons comparés au Couteau/The Knife, au nouveau venu Odessa et au doyen Myriade. Nous sommes restés campés sur nos positions.

Quand j'ai entendu qu'ils appelaient mon nom, j'ai filé vers la sécurité, passé tous les scanners et suis arrivé à la course à ma porte, juste au moment où mon vol décollait pour Toronto. Après ce qui m'a semblé des heures de supplications, l'agent de la compagnie aérienne a accepté de me mettre sur le prochain vol. En courant à partir de l'instant où je poserais les pieds à l'aéroport Pearson, je réussirais peut-être à attraper le Japan Airlines 210 assurant la liaison directe avec l'aéroport Narita de Tōkyō.

10

Pearson. Je cours à côté et en dessous de magnifiques mastodontes en acier noir. Il y a une exposition de sculptures de Richard Serra dans l'aéroport et je n'ai même pas le temps d'apprécier à sa juste valeur le travail de ce maître de la massivité et de l'équilibre, que j'ai découvert grâce à une fille rencontrée sous terre parce que sa mère avait trouvé mon deuxième livre dans le désert[1]. Je ne repense pas très souvent à cette fille, mais là, c'est plus fort que moi. Je me souviens aussi de ce garçon de dix-sept ans croisé à Göreme, qui était intensément engagé dans la voie du soufisme. Olivier, il s'appelait, je crois. Je me souviens de l'instant un peu surréel où il m'a présenté cette fille surgie de nulle part, comme une espèce de révélation divine. Elle était tellement nue, tellement vraie. Elle venait de se perdre pendant longtemps, à la suite d'un attentat dans une gare à Paris. Elle venait de perdre un nouvel ami, un vieux peintre d'Antibes qui avait fait une chute

1. Voir *Vertiges*, du même auteur (Éditions XYZ, coll. « Quai n° 5 », 2013).

mortelle avec un jeune cuisinier basque. Une chute à partir de la nacelle de l'une de ces centaines de montgolfières qui survolent constamment la Cappadoce. Un accident, avait-on conclu.

J'arrive à la porte d'embarquement alors qu'on appelle mon nom. Je montre ma carte à la trop jolie et trop docile agente de bord japonaise et me dirige vers mon siège. Une fois installé, je me plonge dans la lecture d'*Éloge de l'ombre* de Junichirô Tanizaki.

Mon voisin de siège, un homme élégant et décontracté d'une soixantaine d'années, se penche vers moi et fait un commentaire à voix basse au sujet du livre que je suis en train de lire. Il me dit que c'est une lecture fondamentale pour toute personne qui s'intéresse à la spécificité esthétique du peuple du Soleil levant. Il se présente en dégageant une énergie à la fois extrêmement enthousiaste et particulièrement douce.

— Robin Savoie. Je m'occupe de livres dans le Bas-du-Fleuve. J'ai une librairie où je vends aussi de la musique. L'Appel du rocher blanc, ça s'appelle. J'y vends même vos disques, monsieur Bourque.

— Premièrement, merci de me conforter dans mon choix de lecture. Deuxièmement, merci de vendre mes disques, et troisièmement, merci de m'appeler Antoine et de me tutoyer, monsieur Savoie.

— Bon, Antoine, alors. Et moi, ce sera Robin et non M. Savoie. Merci bien.

— Marché conclu. Qu'est-ce qui vous incite à faire ces quelque trente heures de vol jusqu'à Tōkyō, Robin ?

— L'aïkido. Je fais de l'aïkido depuis une trentaine d'années et j'ai décidé de célébrer cet anniversaire en m'offrant ce voyage au Japon.

— Trente ans ! Ça se fête, effectivement. J'aurais pensé que ça se fêterait surtout en visitant un chiro. C'est un peu dur sur les articulations, non ?

— Sur les genoux plus que d'autre chose. Mais ça va encore. Le corps tient la route. J'essaie de le garder en forme en faisant beaucoup de natation et de vélo aussi.

— Ah, le vélo ! Voilà ma drogue à moi. Depuis quelques années, je crois que c'est en faisant du vélo que j'arrive à me vider de toutes mes contradictions. En arrivant à Tōkyō, je vais m'acheter un *mama-san* et faire le tour de la ville de jour comme de nuit.

— Ça me semble formidable comme idée, ça. Quand tu retourneras au pays, tu devrais venir faire un tour à Rimouski pour découvrir notre belle piste qui longe le fleuve.

— Je connais déjà un peu Rimouski. J'ai joué quelques fois dans votre super théâtre dessiné par Dan Hanganu, qui a aussi dessiné L'Anglicane de Lévis. Merveilleux travail dans les deux cas.

— C'est la salle Telus.

— Il y a un café là-bas que j'aime beaucoup, aussi. À côté d'un pub assez sympathique…

— La Brûlerie d'ici.

— Voilà. J'aime bien l'atmosphère de la place. Bon, c'est pas du café troisième vague… Il manque toujours ça dans le Bas-du-Fleuve, je crois. Mais c'est quand même buvable.

— Troisième vague ?

— C'est un mouvement de microtorréfacteurs obsédés par les nuances de l'expérience café qui est né dans les petits cafés de Melbourne. Ça s'est répandu en Amérique à partir de la côte ouest américaine, ç'a pris de l'ampleur à Chicago et ça va sûrement arriver chez vous très bientôt.

— Moi, j'ai hâte de goûter à un bon café siphon à Tōkyō.

— Oui ! Ils ont gardé cette vieille méthode française qui date du XIXe siècle. Ça va être très cool, ça. On devrait y aller ensemble.

— Volontiers. Et toi, pourquoi tu t'envoles vers le pays de Tanizaki ?

— Coup de tête. J'ai pris la fuite. Je suis un peu en cavale.

— Et quel est votre crime, monsieur ?

— Je suis incapable de faire face à la musique. Littéralement. Je viens de pondre une douzaine de nouvelles chansons et je ne veux pas savoir ce qu'en pense mon directeur artistique. Je lui ai laissé mon iPhone avec les maquettes dedans et j'ai pris le premier vol que j'ai trouvé sur Internet. Il fallait que le prix tourne autour de mille deux cents dollars. Douze chansons, cent dollars la chanson. Ça me semblait bien.

— Il y a une certaine logique là-dedans, quand même. Retour prévu pour quand ?

— Mon billet est ouvert pendant un an.

— Comme le mien. J'ai confié ma librairie à une jeune femme délicieuse qui s'appelle Chloë de Kersauson. Elle est Bretonne, à peine vingt-deux ans.

— Est-ce qu'elle a un lien de parenté avec Olivier, le grand navigateur du même nom ?

— D'après elle, aucun. Je ne sais pas trop si elle dit vrai.

— C'est souvent compliqué, les histoires de famille.

— Ça dépend. Parfois, tout s'arrange. J'ai réussi à construire un lien très solide avec mon fils dont j'ai ignoré l'existence pendant vingt ans.

— C'est formidable, ça. Pourquoi la mère vous l'a caché ?

— Elle ne me l'a pas vraiment caché. On était hippies. Je travaillais sur des bateaux, dans le Grand Nord. Elle vivait en Nouvelle-Écosse. Elle s'est rapidement trouvé quelqu'un d'autre et c'est lui qui a élevé le petit. Je suis juste reconnaissant envers elle d'avoir dirigé Nathan vers moi lorsqu'il s'est mis à lui poser des questions. Aujourd'hui, il vit au Colorado, il est marié, a un jeune fils. On s'est tissé une belle relation depuis dix ans. On arrive à se voir assez souvent. J'aime bien jouer le rôle de grand-père aussi. Toi, pas d'enfants ?

— Non. Je croyais avoir trouvé la femme avec laquelle ça se ferait éventuellement, mais elle est partie il y a six mois sans donner de nouvelles.

— Aucune ? Pas d'indices qui expliqueraient un peu la raison de son départ ?

— Rien.

— La police ?

— Rien. J'ai même engagé un privé pendant trois mois. Rien. Si mes amis l'avaient pas connue, je me dirais que je l'ai imaginée de toutes pièces.

— Elle était dans quel état avant de partir ?

— On venait de rouler pendant six mois entre Montréal et México, en passant par bien des villes aux deux États-Unis. Elle était donc dans un état que je qualifierais de flottant. Le retour l'a un peu ramenée à la réalité. Elle se retrouvait à devoir choisir une voie, à devoir décider au moins un peu de ce qu'elle ferait de sa vie.

— Pourquoi elle avait l'impression de devoir décider à ce moment-là ?

— Parce qu'elle avait terminé le cégep depuis un an et elle commençait à ressentir de la pression pour entamer un programme d'études universitaires.

— De la pression de la part de ses parents ?

— Peut-être, oui. Elle me parlait jamais de sa famille. C'était le seul sujet que j'avais pas le droit d'aborder avec elle. J'ai pas trop poussé pour les rencontrer, non plus. J'ai quarante-quatre ans et elle en a vingt.

— Ça peut être délicat, ça. Les familles acceptent souvent mal les différences d'âge.

— Je sais absolument rien de sa famille. Rien.

— Et qu'est-ce qu'elle voulait faire, comme études ?

— Elle hésitait beaucoup. Son enfance et son adolescence ont été à peu près entièrement consacrées à la danse classique. Elle s'était même fait engager par le Houston Ballet avant qu'une blessure à la cheville gauche mette fin à sa carrière. Elle hésitait donc entre des études en histoire de la danse, en chorégraphie et en médecine.

— Pourquoi la médecine ?

— Tradition familiale. Depuis cinq générations, paraît-il. C'est d'ailleurs la seule chose que je sais de sa famille. J'ai dit que je savais rien, tout à l'heure, mais je sais au moins ça.

— Il ne devrait pas y avoir des tonnes de médecins qui portent son nom de famille.

— Ce serait le nom de sa mère, plutôt. Elles sont médecins de mère en fille depuis cinq générations ! Les pères étaient tous des artistes.

— Le corps qui cherche l'âme.

— On dirait.

— Et elle ne t'a pas dit le nom de jeune fille de sa mère ?

— Non.

— Et qu'est-ce qu'il pratique comme art, son père ?

— Je l'ai jamais su. Dans toutes nos recherches, au privé et à moi, on n'a trouvé aucun artiste qui porte ce nom. Donc, soit son père a un pseudonyme, soit c'est elle qui m'a jamais dit son véritable nom. J'ai l'impression que je le saurai jamais.

— Attends. C'est quoi, le nom de son père ? Ou le possiblement faux nom de son père ?

— De Chassenay. C'est le nom qu'elle utilisait comme ballerine. Mais y a rien qui confirme que c'est son véritable nom.

— Vous avez parlé avec la direction du Houston Ballet ?

— Le privé l'a fait, pourquoi ?

— Si elle était connue un peu dans le milieu, là-bas, un fanatique aurait pu avoir eu envie de l'enlever. Elle aurait pu changer de nom pour sa sécurité. Je ne sais pas. J'ai tendance à me mettre à fabuler, des fois.

— Pas tant que ça. Pas plus que moi en tout cas. J'ai eu la même idée. Mais rien n'indique que c'est quelque chose comme ça.

— Est-ce que c'est la première fois que ça t'arrive ?

— Qu'une fille disparaisse comme ça, sans donner de nouvelles ? Plus ou moins, oui.

— Plus ou moins ?

— Il y a une vingtaine d'années, un peu moins, j'ai connu une fille, en Turquie, qui est partie sans me donner de raison. C'est une histoire que j'ai jamais vraiment comprise. Tout était tellement basé sur le hasard des signes qu'on n'avait jamais véritablement tenté de construire quelque chose. Elle était constamment à l'affût du moindre signe du destin qui lui dirait qu'elle se trompait en étant avec moi. C'est comme si elle attendait seulement que l'univers la lance à la poursuite de quelqu'un ou de quelque chose d'autre. C'était une fille comme ça. Elle se laissait porter, se laissait guider, ne prenait jamais de véritable décision. On se ressemblait peut-être un peu trop pour que ça marche.

— Elle est où maintenant ? Elle s'appelait comment ?

— Je sais pas trop. Je crois qu'elle est retournée vivre à Paris. J'ai cru voir passer sur Facebook ou ailleurs qu'elle faisait de la photo maintenant. Son père a une galerie dans le Marais et je crois qu'elle expose là. Elle a fini par se marier avec un autre photographe, un Islandais qui est également représenté par son père. Quand je l'ai connue, elle semblait vouloir s'éloigner le plus possible de son père, mais là, on dirait qu'ils se sont réconciliés.

— Son nom ?

— Je m'en souviens pas. Quelque chose qui finit par *son*, j'imagine, comme tous les Islandais.

— Non, pas le nom du gars, le nom de la fille. C'est toujours plus intéressant, le nom de la fille.

— Ah, désolé. Hope. Hope Fontaine.

— Et ça ressemble à quoi, ses photos ?

— Ben des cavernes, ben des grottes. Elle semble obsédée par la spéléologie. On voit jamais le ciel dans ses photos. Je crois que ç'a un lien avec l'accident de montgolfière en Turquie. En tout cas, j'imagine. Elle faisait pas vraiment de photos comme ça quand je la connaissais. À vrai dire, je me rappelle pas du tout ce qu'elle faisait d'autre qu'errer et essayer un peu de m'aimer, à l'époque. Ça me fait aussi un peu bizarre de penser à elle et de te raconter tout ça. Ça fait presque du bien. Ça me sort de mon histoire avec Évelyne.

— J'ai un ami à Rimouski que je considère comme un sage. Ouais. Ce gars-là, il a vraiment atteint un niveau de sagesse hors du commun. En tout cas, moi, je n'en ai pas connu d'autres comme lui. Ambroise, il s'appelle, Ambroise Boudreau. C'est un gars de Chandler, en Gaspésie, avec des parents acadiens, je crois.

— Beaucoup de Boudreau chez nous en Acadie, en effet.

— Pis ce gars-là, il me dit tout le temps : « Robin, le monde tournera toujours à la même vitesse. Tu peux te presser pis essayer de rattraper le temps ou tu peux juste te poser pis écouter les échos qui doivent revenir jusqu'à toi. C'est pas mal plus apaisant comme ça. »

— On arrive plus facilement à comprendre ce qui nous arrive quand on l'oublie et qu'on distille ce qu'il y a d'important là-dedans, j'imagine.

— C'est ça. C'est maintenant que tu vas commencer à comprendre ce qui s'est passé, ce que tu as vraiment vécu avec cette fille, Hope, c'est ça ?

— Exact.

— Tu n'as jamais tenté de la revoir ou au moins de lui écrire ?

— Non. Quand c'est fini, c'est fini.

— Moi, je ne pourrais pas vivre comme ça. La plupart de mes amies sont des ex.

— T'es pas un jaloux, toi.

— Pas vraiment, non.

— Moi, je vois un autre gars toucher une fille que j'ai touchée, je veux le tuer. Même si ça fait vingt ans que je suis plus avec elle.

— T'es né pour être sultan, toi.

— Les quelques postes qui restent dans le domaine sont déjà pourvus, je crois. Ils ont aussi tendance à engager à l'interne.

— Dommage. Chanteur, c'est presque la même chose, non ?

— C'est ça, la légende, mais la réalité est tout autre. Quand tu finis un show, t'as surtout une faim de loup. Après, l'énergie tombe et t'as envie d'aller te coucher. T'as plein de tentations, mais t'as souvent une blonde à la maison. T'as besoin d'une blonde parce que t'es absolument incapable de t'occuper de quoi que ce soit que tu trouves pas intéressant. Les taxes, les impôts, l'épicerie, etc. Tout ça prend le bord quand t'es célibataire. De temps en temps, tu laisses entrer une femme dans ta vie pour qu'elle mette un peu d'ordre dans tout ça. Ça m'arrive à peu près jamais. J'ai tendance à choisir des filles aussi folles que je suis désorganisé.

— C'est toujours une recherche d'équilibre. Moi, j'aime bien les femmes de caractère. J'aime des filles qui ont de la *drive*, qui me secouent un peu.

— Et là, en ce moment, il y a une Mme Savoie ?

— Non. Je suis libre comme l'air. Je ne voulais pas m'embarquer dans quelque chose avant de faire ce voyage.

— Tu reviendras peut-être avec une Japonaise.

— D'après ce que j'en sais, ce ne sont pas les femmes avec le plus de caractère…

— Derrière les portes de papier de riz, on sait pas ce qui se passe.

Nous avons poursuivi comme ça pendant toute la durée du vol. Le hasard a même fait que nous avions tous les deux réservé dans le même hôtel, le Tokyu Stay, dans le quartier Yotsuya. Tout près de l'Université Sophia, où j'ai été mis en contact avec un professeur qui s'intéresse à la chanson canadienne par mon ami poète Kazuo Koniba. Il était du voyage en Turquie l'année où j'ai rencontré Hope. Il s'est installé à Grenade il y a plusieurs années. Il y poursuit son travail sur les jardins et les rythmes de la langue de Lorca au beau milieu des oliveraies.

11

Aéroport Narita. Tandis que la conversation avec Robin s'est intensifiée, la fatigue s'est accumulée couche par couche comme une patine sur une théière, au fil du temps. À la descente de l'avion, nous sommes deux zombies heureux cherchant un moyen facile et pas trop onéreux – à Tōkyō, les taxis comme le reste sont hors de prix – de nous rendre à notre hôtel. Nous optons pour un autobus qui nous déposera à un autre établissement, à deux pas du nôtre.

Une fois arrivés à destination, nous nous donnons rendez-vous pour le petit-déjeuner, le lendemain matin, dans le restaurant jouxtant l'hôtel en question. Je suis exténué. Rempli d'une joie étrange, mais exténué. Je me vautre dans le lit et j'allume la télé. On présente un film que j'ai déjà regardé à moitié sur Netflix. *Norwegian Wood*, une histoire d'adolescence tirée d'un roman ou d'une nouvelle de Murakami. Mais cette fois, il n'y a pas de sous-titres. Néanmoins, je comprends très bien ce qui se passe dans ce récit universel d'éveil, de révolte et de libération.

Je rêvasse un peu et mes rêveries se mêlent à ce qui se passe à l'écran. Je me vois poursuivi par les forces de l'ordre sur un campus, alors que je cherche désespérément à trouver Évelyne dans une foule en furie. Je me vois ensuite dans la forêt, avec elle, sous la pluie et le vent. J'attends qu'elle m'explique ce qui se passe, qu'elle me dise enfin où elle est partie et pourquoi, mais elle ne fait que me parler en japonais d'une toute petite voix délicate, aérienne. Je sombre dans un sommeil pas assez profond et quand je me réveille, une fille pleure sous la pluie, après l'amour.

Je me lève, m'allume une cigarette et sors de mon sac le cahier d'écriture que j'ai acheté avant de partir de Montréal. Je veux écrire un nouveau recueil de poèmes dans ce cahier, un recueil qui fera écho à *Sahel sans elle*, un livre que j'ai écrit alors que je n'avais que vingt et un ans. Je l'ouvre, j'inscris le titre *Sans elle*, le dédie à Évelyne, ma grande absente, et je numérote les pages. J'ai cette manie depuis toujours. C'est comme une manière de tracer mon chemin avant de le parcourir, je crois.

Treize poèmes plus tard, je m'effondre et dors une douzaine d'heures. Je manque le rendez-vous avec Robin pour le petit-déjeuner. Je le retrouverai plus tard. Pour l'instant, j'ai envie d'errer un peu dans cette ville insensée, trop grande et très intimiste à la fois. Je vais dans les rues derrière l'hôtel. Je suis étonné par la quiétude qui s'en dégage. Je n'arrive pas à croire que je suis dans l'une des plus grandes villes du monde.

Je ne croise presque personne dans les rues. Je vois plus de machines distributrices que d'humains. J'aperçois plusieurs vélos du modèle qu'ils nomment *mama-san* laissés çà et là sur les trottoirs, sans cadenas. Il y a très peu de vols de vélos à Tōkyō. Je marche pendant des heures, puis m'arrête dans un petit café. Il y a des revues ornées d'images pornographiques qui traînent et ça ne semble déranger personne. Je recommence à écrire des poèmes. Je me laisse porter par des images d'Évelyne. Les lieux affleurent dans mon esprit, petits tableaux oniriques, boîtes de Joseph Cornell déployées devant mon troisième œil.

12

Virginia Beach. Nous sommes arrivés en pleine nuit. Je guide Évelyne, qui a un peu peur de l'océan, entre les vagues. Elle pousse des cris entre ses rires. Elle est libre. Elle est heureuse comme elle l'a rarement été. Il y a une clé dans cette image. Il y a une piste dans ce souvenir.

Après la mer. Nous faisons des photos tarantinesques dans notre chambre de motel délabrée, dont la déco est restée figée en 1972. J'ai l'impression que Jackie Brown va entrer, paniquée, avec un problème impossible à résoudre sur le bout de la langue. Nous buvons de la vodka polonaise poivrée. C'est ma kryptonite à moi, ça, la vodka. J'ai découvert cette marque au milieu des années quatre-vingt-dix, au bar montréalais Les Bobards, en compagnie du violoniste acadien Johnny Comeau, du poète Gérald Leblanc et d'une barmaid bosniaque dont j'ai oublié le prénom mais pas les formes ni le parfum.

Nous fumons cigarette sur cigarette. Nous finissons par baiser flou sur le tapis brun, elle s'accrochant au bar en cuir capitonné alors que je la prends par-derrière, un œil ébloui par ses fesses d'albâtre et l'autre fixé sur sa nuque que j'ai toujours envie de mordiller. Cette fois, distrait par sa beauté et en perte de contrôle à cause de la vodka, j'arrive même à jouir en elle.

Je suis un ours polaire enragé. Je ne sais plus où je suis. Je me suis évaporé. Je me suis évaporé en entendant ces paroles de Brel dans *La valse à mille temps*: «Au troisième temps de la valse, nous valsons enfin tous les trois...» J'ai peur de très peu de choses. Deux, en fait: je me défendrai corps et âme si on tente d'insérer quoi que ce soit dans mes oreilles et je suis absolument terrifié par l'idée de la paternité. Je me suis donc entraîné à ne jamais éjaculer à l'intérieur d'une femme, tout en ayant de magnifiques orgasmes. C'est la mère de Florent Stein qui m'a aiguillé dans la bonne direction en me prêtant des livres sur le kundalini, le serpent de feu, alors que je parcourais sa bibliothèque à quinze ans. «Lis ça, elle m'a dit, ta vie va changer. Tu vas découvrir de nouvelles couleurs.» Mais cette fois, cette très rare fois, à Virginia Beach, je me suis laissé aller. Évelyne s'est rendu compte de quelque chose, sans toutefois deviner mon secret.

— Ça va, amour?

— Oui. Pourquoi?

— Je sais pas. Y a quelque chose de différent. C'était bon, pour toi?

— Absolument.

— Meilleur, pire ou pareil que d'habitude?

— Meilleur.

— Tu dis pas juste ça pour me faire plaisir ?

— Non. Je te jure. C'était bien meilleur que d'habitude, et d'habitude, c'est fucking incroyable.

— Je te crois. Je l'ai senti. Je sais pas au juste ce qui était différent, mais je l'ai senti. T'étais comme... plus absent. On dirait que t'as perdu un peu le contrôle. J'avais un peu peur que tu te mettes à me faire mal. J'en avais un peu envie en même temps.

— On peut recommencer plus rough, si tu veux. Je devrais bien pouvoir trouver quelque chose pour t'attacher dans cette chambre ô combien magnifiquement brrrrrune !

— Non, ça va. Le jour est levé depuis un petit bout, et moi, j'ai envie d'un café et d'un scone ou de quelque chose du genre.

— Il me semble qu'on a vu un Starbucks pas trop loin d'ici.

— À deux, trois rues, il me semble. On y va ?

— Yes sir, madame.

Nous marchons dans les rues de Virginia Beach, cette petite ville balnéaire rétro et clinquante où volent toujours un ou deux avions chasseurs au-dessus de nos têtes. Nous marchons dans le rythme du désir diffus, du corps repu. Nous n'avons aucune chanson en tête, nulle musique des sphères non plus. Il ne reste plus rien entre nos lèvres.

Arrivés au Starbucks, nous prenons chacun un *venti latte* et un sandwich composé d'œufs, de bacon et d'un muffin anglais. Nous allons sur la plage et mangeons en silence en contemplant la mer de début de jour. Nous ne pensons ni à l'avenir ni au retour. Nous ne sommes que dans le ciel et les reflets d'océan. Nous ne laissons entrer aucun doute.

Ça dure jusqu'à la dernière bouchée de nos sandwichs. Les cafés géants vont durer plus longtemps.

13

Miami. Nous sommes venus ici pour voir l'Art Basel. Nous avons loué une chambre dans un hôtel Ramada de Hollywood Beach et prenons chaque jour la voiture pour entrer dans la ville et visiter tous les sites où il y a des exposants. Nous avons l'impression d'être dans un Walmart géant pour milliardaires, mais nous faisons abstraction de cela et nous nous concentrons sur l'art. Peu importe le contexte, il y a quand même des œuvres qui arrivent à nous faire chavirer. Ici, un De Staël, là, un Rothko. Le bleu, le rouge. Moi, elle.

Évelyne veut aller voir les danseuses. Il y a une académie de ballet où l'on peut observer les jeunes danseuses par une grande fenêtre qui donne sur la rue. Nous nous y rendons et restons là à les regarder pendant de longues minutes. Je perçois quelque chose dans le regard d'Évelyne que je n'ai jamais vu auparavant. Ce n'est pas tout à fait de la nostalgie. C'est autre chose. Je ne saurais y apposer un mot exact. C'est comme si elle avait déjà eu des ailes et qu'elle était maintenant condamnée à marcher parmi nous.

C'est plus que de la nostalgie, ça. C'est le sentiment de perte qui vient avec le fait d'avoir traversé d'un monde de possibles à un monde où tout est gris. Comme si une fillette de quatre ans, enveloppée par la chaleur trop colorée du monde merveilleux de Disney, avait été enlevée et transportée d'un coup dans un goulag en Sibérie.

Après la danse, la danse. Nous nous rendons dans Little Havana et trouvons un bar où nous pouvons nous déhancher au son du *son*. La soirée est parfaitement douce. Les gens autour de nous exsudent la bonne humeur. Nous nous retrouvons dans nos pas, sans aucun effort. Pour elle, ce n'est pas trop surprenant, mais moi, je ne suis pas toujours doué en la matière. Là, je flotte. Je suis les cadences venues de Santiago de Cuba avec aisance.

Trop soûls pour conduire, nous cherchons un petit hôtel dans le coin. Nous atterrissons à l'Hôtel Urbano, dans Wynwood. Demain, nous irons voir les murales du quartier. Évelyne veut particulièrement voir une murale des frères brésiliens Otavio et Gustavo Pandolfo, connus ensemble sous le nom d'Os Gêmeos, les gémeaux. Ce sont effectivement deux jumeaux identiques originaires de São Paulo. Leurs œuvres aux coloris éclatants séduisent facilement Évelyne, son côté solaire. Elle est plus intéressée par le street art que moi, mais j'aime bien quelques murales qu'elle m'a fait connaître.

— Qu'est-ce que tu veux faire après ? je lui demande. Tu veux retourner au Ramada ? Tu veux rester encore à

Miami quelques jours ? On pourrait descendre dans les Keys, si tu veux. On pourrait aussi remonter la côte du côté du golfe et se rendre en Louisiane.

— Les Keys, d'abord.

— Et après ?

— J'aimerais bien aller à La Havane.

— On peut pas se rendre à Cuba à partir des États-Unis.

— Je sais. On pourrait passer par le Yucatán. On pourrait laisser la voiture là-bas et prendre un bateau quelque part. Ce serait quand même incroyable d'arriver à La Havane par la mer.

— Bon plan. Si on veut avoir le temps de le faire, il faudrait peut-être oublier les Keys. Pourquoi tu voulais y aller ?

— Marie-Claire Blais.

— Je doute qu'on l'aperçoive quelque part. Je crois qu'elle écrit au fin fond d'un bar. Je l'imagine pas en train de prendre des bains de soleil dans des lieux où on pourrait la croiser.

— J'ai quand même l'impression que je pourrais sentir sa présence là-bas.

— Elle passe aussi du temps à Montréal. Tu sens pas sa présence quand t'es là ?

— Non. À Montréal, tout est diffus. J'ai l'impression qu'il y aurait une énergie plus concentrée à Key West.

— Croisée avec celle de Michel Tremblay et de Hemingway. On pourrait aussi passer voir la maison de la tante de Kerouac à Orlando, là où il a écrit *On the Road*.

— Tu veux vraiment aller voir la maison de la tante de Kerouac pendant qu'on fait nous-mêmes un *road trip* ? C'est un peu trop dans le thème, non ? Il me semble qu'on peut faire mieux que ça.

— C'est pas trop loin. J'ai pas souvent de raison pour être dans le coin.

— Tu iras voir ça une autre fois. Quand je serai plus là.

— Tu vas t'en aller ?

— Un jour ou une nuit.

— Quand ça ?

— Quand je l'aurai décidé, je m'envolerai.

— Où ?

— Je sais pas. Ailleurs. Je deviendrai quelqu'un d'autre. Je pense que c'est essentiel de changer de nom, de changer de vie de temps en temps. Sinon, on s'incruste dans une identité. C'est rien, une identité. Ça se construit comme un château de Lego, ou mieux, de sable, et après on souffle dessus, on remet de l'eau et on recommence.

— Tu parles comme si tu avais déjà fait ça. Tu t'appelles pas vraiment Évelyne de Chassenay ? Je peux même pas te poser des questions sur les autres détails de ta vie parce que je les connais pas. T'as pas travaillé très fort pour te construire une nouvelle identité, si c'est ce que t'as fait.

— Tu dis ça parce que je parle jamais de ma famille ?

— Oui.

— Un jour, je t'en parlerai. Je te demande juste d'être patient avec moi.

— Je le serai. Je veux pas te mettre de pression par rapport à ça.

— On va reprendre la voiture ? J'ai envie de rouler aujourd'hui. J'en ai assez de Miami. On oublie les Keys. T'as raison. J'ai envie de rouler jusqu'à l'Alabama, au moins.

— Tu veux faire quoi, en Alabama ?

— Je veux aller voir le travail de Samuel Mockbee.

— L'architecte ?

— Oui. Celui qui a fondé le Rural Studio.

— Je suis un peu surpris de savoir que tu connais ça.

— Je suis jeune mais je suis pas conne. Je suis curieuse, tu le sais. Je m'intéresse à l'architecture depuis des années.

— À cause de ta famille ? T'as un parent archi ?

— Fuck off ! Je t'ai demandé d'être patient !

— OK. Désolé. C'est plus fort que moi, des fois.

Après être passés au Ramada prendre nos affaires, nous reprenons la route au son de *'Round About Midnight* de Miles Davis. Évelyne danse dans son siège alors que je conduis la Audi Q5 que nous a prêtée Léo pour faire le voyage. Il a un truc pour les voitures. Il en a toujours au moins quatre. Il en garde deux à Montréal, dans le stationnement du bâtiment où il a son loft, rue Molière, dans la Petite Italie, une à son chalet de Bromont et une qu'il conserve simplement pour la prêter à des amis qui en auraient besoin. En ce moment, c'est la Q5 et je l'ai pour six mois.

J'ai souvent cru Léo fou, mais il l'est moins qu'il le laisse entendre. Je suis tellement crédule qu'il réussit à tout coup à me faire marcher. Son galeriste newyorkais en sait quelque chose.

14

Après douze heures de route, nous nous arrêtons à Mobile et dormons au Battle House Hotel. Le lendemain, Évelyne a envie de profiter du spa, et moi, j'ai envie d'écrire un peu dans la cathédrale de l'Immaculée-Conception. Je vais souvent écrire dans les églises lorsque je les trouve ouvertes. Ce sont encore, pour moi, des lieux qui aident à faire surgir des poèmes.

De retour à l'hôtel, je trouve Évelyne endormie dans la chambre. Je lui caresse un peu la nuque et elle se réveille tout doucement en s'étirant.

— Ah, je me suis un peu assoupie, je crois.

— Effectivement.

— Mmmmmmmm…

— Tu dors depuis quand ?

— Je sais pas. Il est quelle heure ?

— Trois heures et des poussières.

— Deux heures… Je suis rentrée dans la chambre à 12 h 30 et j'ai lu un peu.

— C'était bien, le spa ?

— Tellement ! La masso avait des mains magiques. Souvent, c'est trop doux, genre j'ai l'impression qu'on me flatte plus qu'on me masse, et d'autres fois, c'est trop fort. Je veux me faire masser, pas passer sous un rouleau compresseur.

— Cool. Je suis content que ce se soit bien passé. T'as mangé quelque chose ?

— Non. Je suis fucking affamée, là.

— On pourrait essayer de se trouver une place qui sert de l'authentique Southern barbecue.

— Oui !

— On y va avec Yelp ou on laisse le hasard faire son travail en errant un peu dans la ville ?

— Le hasard ! Le hasard !

— Va pour le hasard. Tu veux sortir toute nue comme tu es ou tu veux t'habiller juste un peu ?

— Toute nue ! Toute nue !

— Je sais pas si on va aller très loin si tu sors comme ça. C'est le Sud, quand même.

— Ah ! t'es plate !

— Pragmatique, plutôt. Juste un peu.

— Demain, on se rend à La Nouvelle-Orléans ?

— Si tu veux.

— Je veux. J'ai vraiment envie d'aller écouter de la musique dans le Tremé.

— Tu sais, ce sera pas nécessairement comme dans l'émission sur HBO.

— Tu mens. Tout est toujours exactement comme ça l'est à la télé. Ma mère m'a pas appris grand-chose, mais elle m'a appris ça.

— Enfin tu me parles de ta famille.

— Si tu répètes quoi que ce soit que je te dis, je te tue. Ce sera pas plaisant comme mort, non plus. Je vais commencer par aiguiser mes dents comme les cons qui se prennent pour des vampires après avoir lu ben trop de romans d'Anne Rice et je vais mordre tes couilles jusqu'à ce que je les avale.

— *Hardcore!*

— *I'm a hardcore princess and don't you ever forget it mister! Cross me once, I might forgive. Cross me twice, your balls will be in a vice. A pretty, toothy vice.*

— Je suis prévenu.

— Imagine un peu ce que je te ferai si tu me trompes.

— Je vais perdre mon appétit si je fais ça.

— *Damn right!*

— Bon, habille-toi maintenant, sinon c'est moi qui vais me déshabiller. Tu sais bien que tu me *turn on* quand tu me fais des menaces comme ça.

— Oui, je le sais. Pourquoi tu penses que je le fais ?

— *All right. It's on princess!*

— Ooooh!

LÉO FRONTIN

Il se perd. C'est bien. Il doit se perdre. Je lui ai prêté une voiture pendant six mois. Je croyais qu'il allait sortir cette fille de son système, revenir à l'essentiel, revenir à ses écrits. Il ne le fait pas. Il la laisse traîner dans sa vie. Il s'attache. Quand il est revenu avec elle, j'ai senti qu'il y avait une ouverture possible. J'ai vu un début d'insatisfaction dans les yeux de sa petite ballerine insignifiante. Elle était prête, visiblement. Elle était sur le seuil, ses pieds meurtris et délicats frôlant la naissance d'un précipice. Je n'avais qu'à me transformer en oiseau multicolore et à virevolter juste assez près d'elle afin de l'attirer vers le vide.

15

Je viens de me rendre compte que j'erre sans but dans ce quartier depuis des heures, perdu dans mes souvenirs d'elle. Je suis affamé. Je ne sais pas trop ce que je vais trouver d'ouvert à cette heure. Je marche encore un peu et je tombe sur un Denny's. J'y entre et commande une salade de poulet avec des toasts bien grillées. Non loin de moi, une jeune fille lit un roman énorme. J'ai l'impression d'avoir atterri en plein milieu d'un livre de Murakami.

Je sors de mon sac le livre que je suis en train de lire. *Réparer les vivants* de Maylis de Kerangal. C'est l'histoire d'un jeune homme qui a un accident de voiture. C'est l'histoire de son corps après l'accident, plutôt. Je pense au corps d'Évelyne. Je me demande s'il est toujours comme il était quand je le connaissais par cœur, quand j'avais exploré tous ses recoins. Est-il même toujours présent dans son intégralité ? A-t-il perdu des morceaux ? Est-il éparpillé aux quatre coins de la planète ? Si je me mettais à la chercher, ici, à Tōkyō, est-ce que je trouverais ne serait-ce qu'une infime partie de son corps ou de son âme ?

J'arrête de lire et j'observe simplement la fille qui a le nez dans son roman énorme. Pourquoi ai-je décidé que c'était un roman ? Je ne sais pas trop. Elle a plus une tête à être en train de lire un roman qu'un manuel de gérontologie, disons. Elle me semble trop rêveuse pour lire autre chose qu'un roman. Je ne le saurai pas à moins de lui poser la question, comme je ne lis pas les kanji. Il y a toujours le risque qu'elle ne parle pas du tout anglais. Je me dis que je n'ai rien à perdre dans la nuit dense de Tōkyō et je décide d'y aller.

— *Excuse me, miss. Konichiwa.*

— *Konichiwa.*

— *Do you speak English ?*

— *Only a little. I can speak French much better.*

— Vraiment ? Vous parlez français ?

— Oui. Je suis étudiante en littérature française.

— Ah bon ? Où ça ?

— Tout près d'ici. J'étudie à l'Université Sophia.

— Quelle drôle de coïncidence. J'ai rendez-vous demain avec un professeur de l'Université Sophia qui s'intéresse à la chanson canadienne.

— Vous êtes canadien ?

— Oui.

— Vous êtes allé voir la maison d'*Anne... la maison aux pignons verts* ?

— Oui, je crois. C'est à l'Île-du-Prince-Édouard, ou l'île Saint-Jean comme je m'obstine encore à l'appeler.

— L'île Saint-Jean ?

— Oui, c'est comme ça que cette île s'appelait avant l'arrivée des Anglais, lorsque le territoire se nommait encore officiellement l'Acadie, comme je l'appelle toujours obstinément.

— L'Acadie ? Je ne connais pas.

— C'est mon pays.

— Je croyais que vous étiez canadien.

— Mon passeport est canadien et donc mon corps l'est aussi. Mon âme est acadienne.

— Voulez-vous vous asseoir ? J'aimerais bien que vous m'expliquiez ce que c'est que cette Acadie. Ce nom de pays me semble très… poétique.

— Il l'est, effectivement. C'est un peuple plus poétique que réaliste. C'est un peuple de rêveurs et de fabulateurs. Nous sommes un peu les Haïtiens du Nord.

— Ah ! J'ai étudié un peu les poètes haïtiens ! Vous connaissez Frankétienne ?

— Absolument ! Le spiralisme.

— Ça me donne toujours envie de tourner comme un derviche.

— Vous savez tourner comme un derviche ? Vous êtes allée à Konya ?

— Oui. J'y suis allée. La grammaire turque ressemble à la grammaire japonaise, donc ça n'a pas été trop difficile pour moi d'en apprendre les rudiments.

— Vous vous débrouillez très bien en français, en tout cas.

— Merci. Je le parle depuis que je suis toute petite. Ma mère est absolument folle de Marguerite Duras. Je crois que les premiers mots français que j'ai appris sont : Tu n'as rien vu à Hiroshima, rien.

— J'ai tout vu à Hiroshima, tout.

16

Matin. Je me réveille dans un petit loft très clair. J'entends une bouilloire. Elle arrête de siffler. Je hume l'odeur du café à plein nez. J'ouvre un œil, puis l'autre. Je vois une silhouette, la forme d'un visage de femme, de très jeune femme. C'est Akiko. Elle fait flotter une tasse de café sous mes narines. Je viens à peine de la rencontrer et elle s'occupe déjà de moi.

— Bonjour.

— Bonjour. Bien dormi ?

— Je crois, oui. Je me souviens pas de m'être couché.

— C'est ma faute. Je t'ai fait prendre un truc qui a fait que tu t'es complètement... évaporé.

— Évaporé ?

— Je sais que ce n'est pas le mot précis pour décrire ton état de la nuit dernière, mais je m'accorde une licence poétique.

— Qu'est-ce que j'ai pris ? Qu'est-ce que j'ai fait ?

— Tu as pris une nouvelle forme d'ecstasy et tu m'as fait l'amour d'une manière délicieusement lente.

— Je suis vraiment désolé de pas m'en souvenir, alors.

— Ce n'est pas grave. Moi, je m'en souviens très bien.

— Et toi, tu l'as pris, ton truc ?

— Non. Je voulais être lucide et simplement observer l'effet que ça te ferait à toi.

— Pourquoi ?

— Je connaissais déjà ta musique avant que tu m'abordes, tu sais.

— …

— J'ai suivi un cours sur la chanson canadienne, l'année dernière, avec le professeur Aoki, celui-là même que tu dois rencontrer aujourd'hui. Dans une heure exactement.

— Merde ! On est loin de l'université ?

— Non. On y sera dans cinq minutes. Bois ton café, prends une douche et je t'y emmènerai moi-même.

— Merci.

Je suis bouleversé. Non, ce n'est pas le bon mot. C'est trop fort. Je devrais être bouleversé, mais je suis plutôt juste un peu perturbé. C'est la première fois que je couche avec une autre fille depuis la disparition d'Évelyne. Peut-être serais-je plus qu'un peu perturbé si je me souvenais ne serait-ce que d'un seul détail, mais rien ne me vient à l'esprit. J'ai beau essayer de me concentrer, nulle image de nature charnelle n'émerge. J'ai essayé un nombre considérable de produits pour altérer mon esprit tout au long de ma vie, mais c'est la première fois que je communie avec un autre corps sans en garder quelque trace que ce soit.

J'avale mon café, je saute dans la douche avec Akiko et nous partons pour l'université.

LE PROFESSEUR AOKI

Mon projet a été accepté. J'ai eu la subvention. Je ne connaissais pas la fondation qui m'a invité à soumettre une demande. D'ailleurs, personne autour de moi ne connaissait cette Fondation Fontaine pour la recherche sur les enjeux de la pratique artistique. Les critères étaient très précis. Mon projet devait porter sur la chanson canadienne d'expression française. Ça tombait bien, je m'y intéressais déjà depuis des années. Le plus étonnant, c'était que je devais provoquer mon sujet, trouver des moyens pour le pousser à créer. Lorsque j'ai reçu l'appel du poète canadien Kazuo Koniba, qui m'a proposé de m'aider dans ma démarche en m'orientant vers un réel sujet de recherche, l'auteur-compositeur-interprète Antoine Bourque, je n'arrivais pas à y croire. Les étoiles étaient presque trop parfaitement alignées.

17

Université Sophia. Akiko m'indique le bureau du professeur Aoki et me donne rendez-vous dans deux heures, au rez-de-chaussée de l'immeuble, près des machines distributrices.

— Professeur Aoki ?

— *Haï!*

— *Konichiwa.* Je suis Antoine Bourque.

— *Konichiwa*, Bourque-san. Heureux de faire votre connaissance. Entrez ! Entrez !

— Merci.

— Asseyez-vous. Asseyez-vous.

— Merci.

— Vous voulez une cigarette ?

— On peut fumer ici ?

— Pas vraiment, mais je m'en *contre-câlisse*, comme on dirait chez vous !

— Vous connaissez bien le Canada ?

— Un peu. J'ai enseigné un an à l'Université du Québec à Chicoutimi.

— Immersion totale, alors.

— Oui. J'ai adoré mon séjour chez les Bleuets. J'aime leur franc-parler. C'est très rafraîchissant pour un Japonais.

— J'imagine.

— Comment s'est passé votre voyage? Vous êtes parti directement de Montréal?

— Non, j'ai fait Montréal-Toronto, où il y avait une super exposition de sculptures de Richard Serra, d'ailleurs, et après, Toronto-Narita sans escale.

— Et vous êtes arrivé à Tōkyō…

— Avant-hier.

— Toujours victime du décalage horaire, alors?

— Oui. Ça commence à se placer, par contre.

— L'hospitalité tokyoïte aidant.

— Pardon?

— J'ai vu par la fenêtre que vous avez déjà fait la connaissance d'une de mes anciennes étudiantes. La plus brillante à qui j'ai eu le plaisir d'enseigner ces dernières années, d'ailleurs.

— Vous voulez dire Akiko? Je l'ai rencontrée par hasard dans un Denny's, la nuit dernière, alors que je pensais à un roman d'Haruki Murakami.

— Vous y croyez vraiment, au hasard?

— C'est plus logique que de croire au destin, non?

— Non. Le hasard relève du chaos. Le destin relève de l'ordre. Qu'est-ce qui est plus près de la logique, le chaos ou l'ordre?

— L'ordre, évidemment.

— Voilà. Cette rencontre n'a donc rien de fortuit.

— Ça reste à voir, je crois.

— Dans vos chansons, vous parlez souvent d'errance, mais même quand on croit errer sans but, on fait constamment des choix. On décide de tourner à gauche ou à droite, de traverser ou non une rue, d'emprunter un sentier dans un grand parc…

— Peut-être, mais ce sont souvent des décisions inconscientes.

— L'inconscient répond toujours à une certaine logique. Il cherche toujours à retrouver ce qui lui est le plus familier. Il fait toujours une association entre ce qui lui est familier et le plaisir. C'est pourquoi les gens deviennent accros à des substances dont ils savent très bien qu'elles sont nocives. Pour l'inconscient, il n'y a que le plaisir qui compte, et ce qui est connu est plaisir.

— Peut-être. Alors, vous pensez que je suis parti à la recherche d'Akiko et que mon inconscient m'a mené vers ce Denny's à cause du roman de Murakami ?

— J'en suis persuadé. Vous étiez à la recherche de quelqu'un comme Akiko, et Akiko était à la recherche de quelqu'un comme vous. Vous cherchiez tous les deux à rêver mieux, comme le dirait votre Denis Bélanger.

— *Daniel* Bélanger. Vous confondez peut-être avec les Denis Drolet.

— Oui ! J'adore leur humour absurde. Quoi qu'il en soit, avez-vous noté les rêves que vous avez faits alors que vous dormiez avec elle ?

— Comment vous savez que nous avons dormi ensemble ?

— Ça se voit. C'est clair comme de l'eau de roche ! Ha ! J'adore cette expression !

— Vous semblez vraiment avoir eu beaucoup de plaisir chez nous.

— Un fun noir ! Ha ! Ha !

— Bon, vous aviez des questions à me poser sur mon travail, je crois.

— Oui. Vous voulez un café pour aller avec la cigarette ?

— Volontiers, merci.

— Mariko ! Un café pour monsieur et un pour moi aussi. Vous prenez du lait ?

— Oui, merci.

— Avec du lait, s'il te plaît.

— Vous parlez souvent en français avec votre assistante ?

— Oui. Elle aussi a fait un long séjour au Québec. Elle a vécu à Montréal pendant un an. Elle travaillait dans le Mile End, au Café Falco.

— Je connais. C'est le seul endroit à offrir du véritable café siphon à Montréal.

— J'y suis allé il y a deux ans. C'est super comme lieu. Il y a une belle lumière.

— Oui. J'y vais pour écrire parfois. Ma seule critique, c'est que leurs heures d'ouverture sont trop courtes. Ça ferme à 17 h, je crois.

— Ah ! C'est dommage, ça.

— Alors, vos questions ? Je ne veux pas vous presser. C'est juste qu'Akiko m'a donné rendez-vous après notre rencontre. Si on n'a pas le temps de faire le tour de tout ce que vous voudrez aujourd'hui, ça me fera plaisir de vous rencontrer à nouveau.

— Formidable. Formidable.

— Vous aviez des questions, je crois.

— Oui. Effectivement. Ah! Voilà le café. Merci, Mariko.

— Merci beaucoup.

— Un petit oiseau m'a dit que vous venez tout juste de composer douze nouvelles chansons, au fin fond de la forêt laurentienne, à la suite de la disparition de votre petite muse.

— ...

— Ne vous inquiétez pas. Je ne l'ai dit à personne. Je ne le dirai même pas à Akiko.

— Pourquoi vous le diriez à Akiko?

— Je viens de dire que je ne le dirai pas à Akiko.

— Mais qui vous a parlé de ces chansons? Kazuo? Je lui ai même pas dit.

— Kazuo a été en contact avec votre directeur artistique, David Langlais. Langlais s'inquiétait pour votre sécurité lorsque vous n'êtes pas retourné le voir après lui avoir laissé votre iPhone. Kazuo l'a rassuré en lui disant que vous veniez me voir et que tout s'arrangerait grâce à ma sagesse légendaire.

— Vous avez pas de problème d'ego, vous. Vous avez vraiment décidé de devenir un vrai Saguenéen.

— Ils m'ont adopté, alors j'ai adopté leur sens de l'humour.

— Je veux pas parler de ces nouvelles chansons. Je saurais même pas comment.

— Avec le temps, vous pourrez.

— Avec le temps, vous savez ce qui se passe.

— Va, tout s'en va.

— Pourquoi ça vous intéresse ? Normalement, on s'intéresse à ce qui est déjà fait. Pas à ce qui est peut-être encore en gestation.

— Moi, je m'intéresse à votre processus de création et j'ai l'impression que c'est la première fois que vous créez dans la douleur et la solitude.

— Oui. Je crois que c'est vrai. J'ai jamais vraiment été un artiste torturé. J'ai plus de Trenet que de Ferré en moi, même si je l'admettrais jamais publiquement.

18

La Nouvelle-Orléans. Évelyne et moi. Nous dansons comme des démons sur la musique de Clifton Chenier dans un bar du Tremé. Nous sommes dans un état second. Pas à cause d'une drogue, simplement de l'air de cette ville plus magique que magique. Cette ville humide qui respire les possibles.

Nous sommes ici depuis deux semaines. Ce lieu nous a avalés, nous et nos légendes. Par l'entremise d'Airbnb, nous avons loué une maison dans le Garden District. Nous avons envie d'y rester encore, mais nous savons que nous devons partir demain pour le Texas, et après pour le Mexique.

*

Mon amie Allie nous attend à Houston. Elle a hâte de me présenter sa nouvelle chienne, Sadie. Allie, c'est la première personne à qui j'ai parlé d'Évelyne. Ce fut d'abord une amie Facebook et ensuite une amie véritable. Nous nous connaissons depuis 2007, alors que je vivais ma crise de la quarantaine à l'avance et venais de quitter une femme formidable pour aller faire des conneries avec une petite Saguenéenne également formidable mais bien trop jeune pour moi. Je n'ai pas beaucoup changé depuis. Je n'arrive jamais à résister aux femmes qui sont beaucoup trop jeunes pour moi. À chacun ses faiblesses.

Après la danse, la densité. Nous nous sommes vidés. Nous n'avons plus rien à nous dire. Quelque chose vient de changer. C'est à peine perceptible, mais il y a moins de porosité entre nos deux âmes.

Dans la maison. J'écris un poème en regardant le jardin alors qu'Évelyne dort et semble au beau milieu d'un très mauvais rêve. Je ne sais pas pourquoi, mais toutes les images qui me viennent ont un rapport avec la forêt de mon grand-père, au plus profond d'une nuit d'hiver. Une nuit de lune pleine qui éclaire les sapins lourds de neige. Je marche dans l'un des sentiers. Je cherche quelque chose. Je n'arrive pas à savoir quoi. Le poème sera court et énigmatique, comme d'habitude.

19

Dans les bras d'Akiko. Elle veut savoir ce que je veux faire d'elle. Elle me dit qu'elle ne refusera presque rien. Ça tombe mal. Je n'ai pas particulièrement envie d'être créatif. Je lui dis que j'ai très envie de la regarder, juste la regarder en écrivant un poème. Elle s'éloigne un peu. Elle prend une pose. Je lui dis de ne pas prendre de pose. Je lui demande plutôt de prendre un livre et de le lire.

Elle sort le livre qu'elle était en train de lire chez Denny's. C'est un livre énorme que je reconnais maintenant que je le vois à la lumière du jour. C'est un livre acadien. *Pour sûr*, de la merveilleuse chroniqueuse des envolées linguistiques monctoniennes, France Daigle. Je devrais peut-être trouver étrange d'avoir un morceau de Monkeytown devant moi, entre les mains délicates d'une Japonaise offerte dans toute sa splendeur nue, à quelques dizaines de centimètres de moi, mais je choisis de trouver ça naturel, complètement dans l'ordre des choses. Je décide de me joindre à la secte du professeur Aoki. Fuck le hasard, j'embarque dans le train du destin.

*

J'écris, Akiko lit. Une heure s'écoule. Quand je lui annonce que j'ai terminé le poème, elle dépose son livre, s'allume une cigarette et commence à se toucher tout en fumant et en me regardant droit dans les yeux. Je ne bouge pas. Je veux la voir jouir juste assez loin de moi, sans même esquisser un mouvement pour toucher de mon doigt sa peau. Je veux être à la lisière de sa perte de contrôle, seulement à la lisière. À vrai dire, je voudrais être à la lisière de toutes les pertes de contrôle de toutes les filles que j'ai connues, en même temps. Une vie comme la mienne, passée à chercher des miroirs pour mes ombres dans les yeux de filles bien moins différentes que je le crois, devrait se terminer comme ça.

Au moment où elle jouit, Akiko laisse tomber sa cigarette à moitié terminée et, par je ne sais quel miracle, je réussis à l'attraper et à en prendre une bouffée.

— Ooooh ! Suave ! Où tu as appris à faire ça ?

— Je l'ai pas appris. Je sais pas le faire. J'ai juste été chanceux, je crois.

— Ça m'impressionne. Ça me donne envie de recommencer, mais avec toi et ta langue, cette fois.

— À vos ordres, capitaine !

DAVID LANGLAIS

Je n'ai pas le choix. Antoine n'a pas composé la moindre chanson depuis quatre ans. Je ressens de la pression. Je dois livrer la marchandise. Le seul moyen de le faire écrire, ce sera en le faisant souffrir. Je dois éloigner de lui, temporairement au moins, cette petite boule de bonheur qui l'empêche de créer. Ma carrière en dépend. La sienne aussi.

20

Houston. Nous pénétrons silencieusement dans la chapelle Rothko. Évelyne et Allie entrent en premier. Je les suis de très près, mon souffle rebondissant sur l'omoplate gauche d'Évelyne. La première fois que j'ai vu des Rothko, j'ai succombé au syndrome de Stendhal.

Je n'avais pas encore quinze ans. J'étais à New York avec ma mère et ma sœur. Elles m'ont soutenu *in extremis*, juste avant que mon crâne ne se fracasse sur le plancher du MoMA. En reprenant conscience, j'ai vu plus clairement l'abîme que ma mère portait en elle. Peu de temps après, je deviendrais moi-même, grâce à elle, porteur d'abîme.

Je crois que ce lieu, cette chapelle, est un révélateur de souvenirs. En venant ici, chacun peut laisser venir ce qui demeure normalement sous le sable des songes.

Tous les trois enlacés, nous laissons les vibrations du lieu nous inonder. Je ne sais pas pourquoi, mais j'ai l'impression que si nous cessions de nous retenir, des larmes se mettraient à couler le long de nos visages d'âges variés.

21

Le premier jour. J'ai rencontré Évelyne à la fin d'un récital de poésie que je donnais, un dimanche après-midi, aux Jardins du précambrien de Val-David, accompagné par mon amie violoncelliste provençale Andrée Sidorova. Elle porte un nom russe, mais elle ne le parle pas. Sa mère est venue en France de Saint-Pétersbourg, quand elle était toute petite. Elle faisait partie de cette vague de Russes blancs qui sont venus dans l'Hexagone à la suite de l'arrivée des bolchéviques au pouvoir. J'ai connu Andrée à Avignon, après ma rupture avec Hope. Nous avons collaboré une première fois pour un spectacle de poésie, violoncelle et balafon (sorte de xylophone africain) au Centre européen de poésie d'Avignon.

Alors que je discutais avec un professeur de l'Université de Montréal qui s'intéressait particulièrement à la littérature acadienne, Évelyne est venue se planter dans mon champ de vision, juste derrière ledit professeur. Elle m'a fait comprendre par son regard incandescent qu'elle ne désirait nullement se joindre à la conversation sur *Acadie Rock* de Guy Arsenault, mais voulait plutôt échanger seule à seul avec moi. J'ai donné ma carte de visite au professeur en lui disant que ça me ferait plaisir de poursuivre la discussion en prenant un café chez Olivieri, par exemple, mais que je devais m'entretenir dans les plus brefs délais avec la personne qui était debout derrière lui. Il a compris le message et s'est dirigé vers l'organisatrice de la lecture.

Évelyne portait une petite robe blanche avec un dessin de girafeau mauve, du côté gauche de sa poitrine. Elle avait une lumière que je n'avais jamais vue dans l'œil, une énergie enfantine qu'elle tentait de contenir, mais que j'arrivais facilement à déceler.

— Bonjour.

— Bonjour.

— C'était… bien.

— Bien ?

— Oui.

— Pas plus ?

— Je sais pas. C'est la première fois que je vous entends lire avec un violoncelle.

— C'est donc pas la première fois que vous m'entendez lire.

— Non. C'est la troisième.

— C'était quand et où, les autres fois ?

— La première fois, c'était à la Casa del Popolo. Vous lisiez avec un band dans le cadre du Festival Phénomena. Drums, contrebasse, trompette.

— Oui. Le Trio Bonfire.

— C'est ça.

— Et c'était mieux qu'aujourd'hui ?

— C'était… plus… primal.

— Tu veux dire qu'il y avait une énergie plus brute, c'est ça ?

— C'est ça.

— Je viens de le faire sans le demander : on se tutoie ?

— Si vous voulez. Si tu veux.

— Et la deuxième ?

— La deuxième ?

— La deuxième fois que tu m'as entendu lire ?

— Paris.

— Paris ?

— Dans un restaurant proche de la place Saint-Sulpice.

— Les Trois Canettes. Pendant le Marché de la poésie.

— L'année dernière.

— Et tu te trouvais à Paris par hasard ?

— Plus ou moins.

— Et là, c'était… primal ?

— Pas du tout.

— C'était comment ?

— À peine audible. Inconfortable. Court.

— Effectivement.

— Et aujourd'hui, c'était… trop doux.

— J'ai suivi la musique.

— T'aurais pas dû.

— C'est plus fort que moi. Je suis toujours la musique.

— Il faut apprendre à s'imposer.

— Tu me sembles bien jeune pour me dire que je dois apprendre à m'imposer.

— Je suis bien plus vieille que toi, dans l'âme.

— Peut-être.

— Certainement.

— Et toi, tu fais quoi quand tu me dis pas ce que je devrais faire ?

— Je dansais.

— Au passé ?

— Oui. Blessure. Cheville. Je dansais jusqu'à tout récemment avec le Houston Ballet.

— Je suis jamais allé à Houston.

— C'est mieux que tu penses.

— Sans doute.

— Tu fais quoi, après ?

— On est déjà après. La lecture est terminée.

— Donc ?

— Je discute avec toi. Ici ou ailleurs. C'est comme tu veux.

— Ailleurs.

— Tu me suis ?

— Oui.

— J'ai une voiture. Toi ?

— Non.

— T'es venue comment ?

— Covoiturage.

— Parfait. Laisse-moi juste assurer le minimum syndical de bye-bye à l'organisatrice et à mon amie musicienne.

— C'est ton amie ?

— Oui.

— Ah, c'est pour ça.

— Quoi ?

— Que vous faites un truc ensemble.

— Non, c'est pas juste pour ça. Pas du tout. C'est une très bonne amie, mais c'est aussi quelqu'un qui a énormément de talent.

— J'ai pas dit qu'elle avait pas de talent. Je pense juste que vous fittez pas vraiment ensemble, artistiquement.

— Bon, c'est peut-être juste parce que tu t'es fait une image de moi quand tu m'as vu faire d'autres performances. L'être humain est multiple, tu sais. Attends, je reviens.

Tout a commencé par une déception. Évelyne s'était fait une image de moi avant même de me connaître. J'étais condamné à ne jamais être à la hauteur de ses attentes.

22

Café Obscura, quartier Sangenjaya. Je suis venu boire un bon café siphon près de l'université pour femmes Showa. Akiko a un cours. En ouvrant mon iPad, je vois que j'ai reçu plusieurs messages de David Langlais sur Google Hangouts. Je ne les lis pas vraiment. Je note seulement qu'ils sont de lui. J'ai réussi à ne pas penser aux nouvelles chansons depuis quelques jours. Je regrette maintenant d'avoir ouvert ma tablette, je voudrais être ici et ici seulement. Je veux explorer le corps d'Akiko jusqu'à la moelle et errer dans les rues de cette ville inépuisable.

J'ai rendez-vous avec le professeur Aoki dans deux heures. Il veut me montrer un centre commercial. C'est le plus beau centre commercial du monde, d'après lui. Il s'appelle Omotesando Hills et a été dessiné par un ex-boxeur reconverti dans la ligne des lignes, l'architecte Tadao Ando.

23

Omotesando Hills. J'attends le professeur dans un restaurant où l'on sert surtout des burgers. C'est là que m'a donné rendez-vous Aoki. Il a dû croire que je m'ennuyais déjà de l'Amérique.

À la table voisine, deux jeunes Américaines. Soit étudiantes, soit mannequins, soit les deux à la fois. Je leur demande si les cheeseburgers en valent la peine. Elles me répondent que oui avant de me demander ce que je fais là, à Tōkyō, à vouloir manger un cheeseburger comme elles. Je leur réponds que je ne sais pas trop ce que je fais là, mais que le hasard fait bien les choses. La dernière partie de la phrase est dite en français. Leurs yeux s'illuminent soudain.

— Vous parlez le français ?

— Mais oui, c'est même ma langue maternelle.

— Moi, c'est Sarah.

— Et moi, Éléonore. Mais tout le monde m'appelle Elly.

— Enchanté. Vous êtes Américaines, non ?

— Enchantée. Oui. Nous sommes toutes deux de Houston et nous avons fait le programme de baccalauréat international ensemble. C'est pour ça que nous parlons le français. La mère d'Elly est française, en plus.

— Et pour le plaisir.

— Et vous, vous êtes d'où en France ?

— Je ne suis pas français. Je suis canadien. De Montréal.

— Ah, Montréal ! Nous étions là l'été dernier, pour le festival Osheaga.

— Je n'y étais pas l'été dernier, j'étais au Texas. C'était bien ?

— *We traded places. Weird.* Oui, c'était merveilleux. Nous avons adoré votre ville. *Very green.* Nous nous sommes promenées un peu partout, en vélo. C'est vraiment un endroit, comment on dit… paisible. Les gens sont ouverts, accueillants. Vous parlez le français, mais vous n'agissez pas du tout comme des Français. *We were really made to feel at home.*

— Vous y êtes restées longtemps ?

— Tout le mois d'août. Nous avons été accueillies chez des gens vraiment cool, en *couchsurfing*. C'était dans l'est de la ville, tout près d'un café qui a un lien avec Janis Joplin.

— Le Bobby McGee ?

— Oui, c'est ça.

— C'est juste à côté de chez moi ! J'habite la rue Préfontaine…

— Nous étions sur Adam. Un peu trop près de la grande usine qui pue.

— Lallemand.
— *The German ?* Quoi ?
— C'est l'usine Lallemand. Ils font de la levure.
— De la levure ?
— *Yeast.*
— Oui, c'est ça. Ça sentait la vieille bière.

*

Après une heure de discussion avec les deux jeunes femmes, je me rends compte que le professeur ne s'est pas pointé. Je décide de ne pas trop m'en faire et d'accepter l'invitation d'Éléonore et Sarah. Elles m'ont offert un billet qu'elles avaient en trop pour aller visiter le grand parc d'Ueno, entouré de musées.

24

El Paso/Juárez. Évelyne est nerveuse. C'est la première fois qu'elle va au Mexique. Moi, j'y ai passé plusieurs mois au milieu des années quatre-vingt-dix, avec Léo Frontin et Florent Stein. Nous avions tous quitté nos emplois sur un coup de tête, à vingt-cinq ans, et avions roulé vers le sud sans savoir exactement où ça allait nous mener. Chacun avait un projet artistique en tête : je voulais travailler sur de nouvelles chansons et de nouveaux poèmes, comme d'habitude ; Léo souhaitait faire une série de photos ; Florent, écrire une pièce un peu à tendance racinienne, une orgie décomplexée de courroux.

Nous avions choisi de nous établir dans une grande maison appartenant à un prêtre californien, dans le village de San Marcos, État de Nayarit, à quelques kilomètres au nord de Puerto Vallarta. Nous y étions restés une semaine, avant de nous faire jeter dehors par ledit prêtre. Un jour, il était arrivé avec une douzaine de nonnes et nous avait vite fait comprendre que le gardien qui s'occupait de la maison n'avait pas du tout l'autorisation de nous la louer. Heureusement, nous avions déjà eu le temps de sympathiser avec le maire du village, un ingénieur franco-ontarien venu passer des vacances à San Marcos, un quart de siècle plus tôt, sans jamais réussir à repartir. Au fil du temps, il s'était marié avec une belle du coin, était devenu père de deux magnifiques filles et avait été élu maire du village après avoir construit l'école et le centre communautaire. San Marcos était donc parfait pour nous. Un village mexicain avec un petit quelque chose de canadien-français. Le maire nous avait rapidement trouvé une autre maison.

*

Après quelques mois de cohabitation et de création, tout avait commencé à s'effriter. Nous avions trois rythmes de vie qui ne collaient pas toujours bien. Léo se levait très tôt afin d'avoir la bonne lumière pour ses photos de ferraille et de feux d'ordures. Florent n'arrivait jamais à commencer à écrire avant d'avoir vidé au moins une ou deux bouteilles de blanc ou de rosé. Moi, j'oscillais entre des sessions d'écriture tard dans la nuit et des sessions de composition au milieu de l'après-midi, préférablement installé sous une *palapa* jouxtant le petit bar de bord de mer.

Quand il nous arrivait de nous croiser, nous étions souvent dans un mauvais état. L'un à cause d'une insatisfaction à propos de la lumière, un autre à cause d'une gueule de bois ou d'un manque de sommeil. Lentement, la tension avait monté. Un jour, Léo m'avait convaincu de partir avec lui vers Guadalajara et México et de laisser Florent avec son vin rosé et ses personnages tragiques. Nous avions pris la route un matin de mars, avant l'aube, et avions roulé quelque trois heures jusqu'à Guadalajara, où nous nous étions arrêtés quelques jours, avant de nous rendre dans la petite ville de Guanajuato, lieu de naissance du grand Diego Rivera.

Dans un café de la ville, à la sortie d'un tunnel, j'avais rencontré une jeune étudiante en anthropologie. Elle s'appelait Luz et avait grandi à Cuernavaca. Je m'étais lancé dans une très longue conversation avec elle. Elle parlait un français impeccable, ayant suivi des cours à l'Alliance française dès sa petite enfance. Elle avait des yeux d'un bleu irréel (vestige d'un aïeul germanique possiblement mennonite), une peau olive et des cheveux noirs.

Comme je n'avais pas vu le temps passer, étant en si bonne compagnie, j'avais raté le rendez-vous fixé par Léo. Je devais le rencontrer devant l'université, à 18 h, et m'étais pointé là deux heures plus tard. Quand j'étais retourné à l'hôtel, il y avait une note sur le pas de la porte.

Bourque. Ton absence te coûtera. Je poursuis la route sans toi. Tu chanteras ton Mexico City blues *avec une señorita.*

25

Après une quinzaine de jours à découvrir avec Luz tous les recoins de Guanajuato, elle m'avait invité à passer quelques semaines dans la maison de ses parents, à Cuernavaca. Ils partaient en Polynésie et nous ne serions dérangés par personne. J'avais accepté, évidemment. J'étais absolument intoxiqué par cette jeune femme vive et libre mais habitée par quelque chose qui ressemblait à une infinie tristesse. J'avais besoin d'aller au bout de cette fille, de percer son opacité joyeuse.

Notre quotidien dans la maison de Cuernavaca avait été fait de discussions à propos de la période mexicaine de Buñuel, de la période précolombienne du Mexique et de la fin du XXe siècle qui arrivait à grands pas. Luz avait une très grande foi dans l'avenir. Elle avait la confiance de l'anthropologue en devenir et croyait que l'humain sortirait toujours grandi des débâcles de ses civilisations.

Tous les matins, après notre premier café, Luz m'entraînait dans l'une ou l'autre des pièces de cette grande maison lumineuse, dotée d'un magnifique jardin intérieur, et me faisait comprendre avec des gestes graciles de quelle manière elle avait envie de se faire prendre.

Je ne remettais jamais en question ses désirs du jour. Je m'exécutais en suivant du regard l'ascension du soleil. J'écoutais les chants d'oiseaux dont je ne connaissais ni les noms ni les couleurs. Je l'aimais comme un chien aime son maître. Je voulais être à son service. En général, je suis plutôt autoritaire en amour. Mais avec elle, fort probablement à cause de la douceur avec laquelle elle me dirigeait, j'étais prêt à tout.

Après l'amour, nous faisions de longues marches dans Cuernavaca. Nous visitions des galeries, nous nous arrêtions prendre un café ou une glace, toujours avec le même air à la fois sérieux et détaché. Nous tâchions de rester attentifs aux moindres manifestations de nos sens.

Nos conversations étaient ponctuées de pointes d'émerveillement envers des choses ou des situations appartenant au domaine de la plus plate quotidienneté.

— Regarde !

— Quoi ?

— Comme la lumière tombe sur la chevelure argentée de ce vieil homme au front si ridé. Il doit avoir récemment perdu la femme de sa vie, et tout ce qui lui reste pour mettre un peu de joie dans ses journées, c'est le soleil mexicain d'une générosité sans bornes.

— Et comment est-elle morte, sa dulcinée ?

— Cancer de la peau, sans doute.

— Ou dans un accident de voiture alors qu'elle conduisait sa petite décapotable rouge en haute montagne, vers la fin d'un après-midi trop lumineux. Aveuglée par la lumière de ce soleil mexicain si généreux, elle n'a pas eu le temps de voir au tournant le camion de livraison de croustilles Sabroso roulant à toute vitesse, à la suite d'un retard causé par un rendez-vous amoureux décevant et pour le chauffeur et pour sa maîtresse.

— Et lui, comment va-t-il mourir ?

— Il va s'étouffer.

— En mangeant un cornichon ? Ou un bretzel ?

— Mais non ! Des croustilles Sabroso !

Luz et moi avions toujours ce genre d'échanges lors de nos promenades diurnes dans Cuernavaca. C'était le moment, dans chacune de nos journées, où nous nous permettions d'être archi-cons.

*

Le soir, nous sortions. Pour aller écouter du jazz, voir un spectacle de danse, une pièce, assister à la lecture publique d'un poète, à la conférence d'un romancier ou d'un chercheur, ou simplement au cinéma.

Il nous arrivait assez souvent de partir quelques jours à México, à Puebla ou à Veracruz. Nous pouvions rester des heures attablés au Café La Parroquia de Veracruz, à jouer une partie d'échecs après l'autre en écoutant d'une oreille distraite les multiples conversations autour de nous.

26

Lorsque Luz a dû retourner à Guanajuato pour la rentrée des classes, j'ai décidé de prendre un bus vers l'ouest et d'aller voir à San Marcos si Florent Stein y était encore. J'avais l'intime conviction que je ne reverrais pas Léo Frontin avant bien longtemps. Il avait juré qu'il ne reviendrait pas à San Marcos et il avait déjà développé, au fil de ses lectures de divers ouvrages anthropologiques et historiques, une certaine fascination pour le monde maya. Je soupçonnais qu'il était déjà dans les environs de Mérida ou même à la frontière du Guatemala.

Pendant le long trajet entre Cuernavaca et San Marcos, je me suis plongé dans une fiévreuse relecture d'*Under the Volcano* de Malcolm Lowry. Alors que je venais tout juste de lire la phrase « *You're not a wrider, you an espider* », j'ai levé la tête et mon regard s'est posé sur le visage un peu hagard d'un ancien comparse du programme de création littéraire de l'Université de Montréal. Samuel Bishop-Hall était un Vancouvérois issu d'une grande famille de la côte ouest du Canada ayant fait fortune d'abord dans l'exploitation de la forêt, il y avait de cela quelques générations, puis dans l'immobilier et, plus récemment, dans l'hôtellerie. Plutôt francophile, sa famille l'avait envoyé faire ses études secondaires au Collège Stanislas d'Outremont, l'installant avec un majordome dans une grande maison qu'elle possédait face au parc Pratt. Il y développa un goût pour les lettres (il était fou de Rimbaud et d'Apollinaire) et décida de s'inscrire, comme moi, en études littéraires.

Nous nous étions rencontrés dès le premier jour à l'université, avions écumé ensemble d'innombrables bars à Montréal, Boston et New York (il avait accès à un petit avion quatre places et son majordome était également pilote), mais nous avions fini par nous perdre de vue lorsqu'il était parti faire le tour de la Bulgarie en bicyclette, l'été précédant la dernière année de notre premier cycle d'études universitaires. Je m'étais toujours demandé ce qu'il était devenu, et voilà que je risquais de trouver réponse à cette question puisqu'il se trouvait à quelques dizaines de centimètres de moi.

Avec aux lèvres un sourire espiègle, qui s'amplifiait comme une montée de trompette dans une musique de mariachis sur la plaza Garibaldi un soir trop chaud, il me lança :

— *You're not a wrider, you an espider !*

— *Je m'appelle Samuel Hall, je vous déteste tous !*

— Tu oublies qu'entre mon prénom et la grande salle, il y a un évêque.

— Mais où est passée votre soutane, éminence ? L'avez-vous troquée contre cette barbe que vous portez maintenant dans un monastère orthodoxe, sur les côtes escarpées de la si belle Bulgarie ?

— Fuck ! Ça fait si longtemps que ça qu'on s'est pas vus ? Antoine Bourque ! Mon Acadien errant préféré. Le seul que je connaisse en ce bas monde, mais même si je les connaissais tous comme le fond de ma poche, même si j'avais passé des siècles en haute mer à pêcher le homard, le hareng ou la morue, ou à chasser la baleine avec eux, même si je sais que ce ne sont pas du tout des chasseurs de baleines, contrairement à nos amis du Groenland, d'où j'arrive d'ailleurs, tu serais toujours mon préféré d'entre toutes ces pauvres âmes issues de ce petit peuple sachant si bien danser avec toutes ses petites tragédies. *How the fuck have you been, Aaaaantwaaaaan ?*

— Ça va bien, ça va bien. Je suis juste un peu sonné par la synchronicité ou le hasard qui a fait qu'on se retrouve tous les deux dans cet autobus, en plein milieu du Mexique, alors qu'on s'est pas vus depuis, quoi, deux ans au moins, et en plus tu me dis que tu reviens tout juste du Groenland ? *What the fuck, Sam ?*

— Tasse-toi et fais-moi une place. Je vais tout t'expliquer.

— À vos ordres, capitaine !

— OK. Je suis parti en Bulgarie.

— Check.

— J'ai visité beaucoup de monastères.

— Je m'y attendais.

— J'ai commencé à écrire quelque chose qui me semblait peut-être avoir un peu de valeur.

— Probablement plus qu'un peu. T'as toujours été trop modeste.

— Les personnages se sont mis à me parler, à vraiment me parler.

— Formidable !

— Il y avait un problème mineur toutefois.

— Je suis tout ouïe.

— Ils me parlaient en bulgare.

— Et tu maîtrises pas l'alphabet cyrillique ?

— Tu sais bien que non.

— J'imagine que tu as fini par trouver un traducteur pour déchiffrer les dialogues de tes personnages plutôt loquaces ?

— Une traductrice, oui.

— Bingo ! C'est toujours une histoire de femmes avec toi !

— Et toi ?

— On parle de toi en ce moment. Elle a su bien faire son travail ?

— Oui.

— Et tes personnages, ils étaient donc tous bulgares ?

— Danois.

— Quoi ?

— C'est pourquoi le Groenland.

— Tu es en train de me dire que tu as interrompu tes études et que tu es resté en Bulgarie tout ce temps avant d'aller au Groenland puis de venir ici au Mexique et d'atterrir dans cet autobus de Flecha Amarilla afin de me raconter cette histoire absolument fucking abracadabrante ?

— Exactement.

— *I saw the best minds of my generation, starving hysterical naked, dragging themselves through the negro streets at dawn looking for an angry fix, angelheaded hipsters burning for the ancient heavenly connection to the starry dynamo in the machinery of the night…*

— *I'm not crazy ! I've just got a very capricious writer's imagination. Stop fucking throwing Ginsberg at me or I'll Malcolm Lowry your ass right into a ditch after a dead dog !*

— Fluffy !

— Quoi ?

— Mon chien mort.

— Tu arrives d'où, toi ? Tu t'en vas où ?

— J'arrive de Cuernavaca. J'étais à Guanajuato avant ça, où j'ai rencontré une fille qui s'appelle Luz et qui porte merveilleusement son nom. Elle m'a emmené chez elle pendant son congé universitaire. Ses parents étaient partis en Polynésie. Ça m'a fait un grand bien de me retrouver corps à corps et esprit contre esprit avec une fille comme elle, plus que lumineuse, fucking incandescente !

— Mais, à la base, qu'est-ce qui t'a amené au Mexique ?

— Tu te souviens de Florent Stein et de Léo Frontin ?

— Oui ! J'adore ce Florent Stein ! Frontin, par contre, ça dépend des jours.

— Je crois que lui-même s'aime mieux certains jours que d'autres.

— Alors ?

— On avait tous terminé nos études, chacun de nous s'était trouvé un emploi qui convenait à peu près. On avait tous mis nos différents projets artistiques en veilleuse. Florent travaillait pour une compagnie théâtrale, Léo faisait du photojournalisme à la pige et moi je travaillais pour une compagnie de disques.

— Tu faisais quoi ?

— Des relations avec les médias. Écrire des communiqués, faire des appels, convaincre.

— Je t'imagine bien faire ça. Les gens te font rapidement confiance.

— Ils devraient pas ?

— Pas toujours.

— *What the fuck are you talkin' about, Sam the Bishop man ?*

— Tu te souviens pas de Mei Li ?

— Oui, très bien, pourquoi ?

— Je sais.

— Tu sais quoi ?

— Elle m'a tout avoué.

— J'avais pris de la E. Ça compte pas.

— *Everything counts, my furry friend. But I forgave you long ago.*

— Je suis quand même désolé. Je te jure que j'ai résisté aussi longtemps qu'humainement possible.

— Genre, trente secondes ?

— Au moins quarante-cinq !

— Ses tout petits seins !

— *My fucking kryptonite and you know it !*

— Je te testais. *You failed miserably !* Je peux te le dire maintenant, *she was never my girlfriend.* On est des amis d'enfance. Elle te trouvait de son goût et, moi, j'ai vu là une occasion de te tester.

— *You twisted fuck !*

— Bon, on enterre la hache de guerre ?

— OK. Qu'est-ce qu'elle devient, Mei Li ?

— Elle est retournée à Vancouver. Elle vient de se marier avec un richissime Australien de soixante ans qui s'appelle – *and I'm not kidding* – Buck Dunlop !

— *That's a fucking pornstar name !*

— C'est son vrai nom. Il a fait fortune dans le bétail et s'est ensuite mis à produire des films de série B mettant tous en vedette une espèce de Chuck Norris australien qui s'appelle Brett « The Beast » Palmer.

— Elle l'a marié pour son argent ?

— Non, pas du tout. Sa famille en a plein. Elle aime son côté aventurier, cowboy.

— Bon. Vive l'amour intergénérationnel, alors.

— Tu le diras sûrement avec plus de conviction quand tu auras atteint la quarantaine et que tu courras encore après de jeunes étudiantes en littérature ou en histoire de l'art ayant fait du ballet tout le long de leur enfance, et qui se baladeront devant toi avec leurs petits seins pointant en dessous de leurs petites camisoles mauves et de leurs petits foulards blancs.

— Tu me connais si bien.

— Tu étais en train de me dire comment tu as fini par venir au Mexique.

— Léo nous a convaincus, Florent et moi, qu'on perdait tous notre temps à travailler pour d'autres alors qu'on était arrivés à l'âge où notre créativité allait atteindre son zénith. Comme on était au mois de décembre et qu'il commençait à faire froid, on s'est pas trop posé de questions, on a vidé nos comptes et on a embarqué dans sa voiture pointée vers le sud puis vers l'ouest, pour aboutir dans un petit village au nord de Puerto Vallarta qui s'appelle San Marcos. Là, on a loué une petite maison. Tout s'est bien passé les deux premiers mois, pendant que nos projets avançaient bien. Le jour où on a tous commencé à manquer d'inspiration, ç'a foiré. Léo s'est mis à avoir l'impression que Florent nous méprisait. Du moins, c'est ce qu'il me répétait sans arrêt. Il me l'a tellement répété que j'ai fini par le croire. Je reconnaissais plus notre Florent. Il avait tout perdu de sa superbe. Il nous parlait presque plus. Je crois maintenant, avec le recul, que Léo s'ennuyait et avait décidé d'essayer de nous monter l'un contre l'autre simplement pour se divertir. Il a toujours besoin d'un peu de conflit dans sa vie pour se sentir vivant. On est partis ensemble et on a laissé Florent mariner dans son jus là-bas. Après, Léo m'a faussé compagnie à mon tour dans la sublime petite ville de Guanajuato, là où j'ai rencontré l'encore plus sublime Luz.

— Et là, tu vas où ?

— Je retourne à San Marcos, où j'espère faire la paix avec Florent.

— Tu crois qu'il te pardonnera ?

— Je sais très bien ramper, quand il le faut.

— *You are a bit of a snake, aren't you ?*

— *Yes I am ! But a sweet, cuddly, adorable snake no one can resist.*

27

Parc d'Ueno. Je regarde un katana, un magnifique sabre datant du XVIe siècle. Dans la vitre protégeant l'artéfact, je vois le reflet d'Éléonore, dont les lèvres d'un rouge hypnotique s'agitent à la vitesse d'un Shinkansen traversant le pays de Bashō, tout près de l'oreille parfaitement ourlée de la non moins ravissante Sarah.

Comment suis-je arrivé ici ? Après une vie à vagabonder, à errer d'un poème à l'autre, d'une chanson à l'autre, après une vie passée à briser cœur sur cœur et à me faire égratigner le mien de temps en temps, me voilà encore une fois choyé par Éros.

Il y a, bien sûr, l'incommensurablement douée Akiko, qui n'attend que mon appel pour venir agiter ma nuit, mais il y a également ces deux Texanes fébriles qui semblent être en train de m'organiser une soirée diablement bonne. Je n'ai pas connu une multitude d'Américaines au lit, mais je sais qu'elles ont tendance à bien verbaliser leurs sensations. Si, comme le dit le divin marquis, la femme bande d'abord par l'oreille, je suis pleinement en contact avec mon côté féminin.

28

Nous avons visité tous les musées du parc d'Ueno. Nous avons vu des armes, des soieries, de la poterie, des images. J'ai épié mes deux grandes amies venues jusqu'ici depuis l'État de l'étoile solitaire. J'ai écouté autant que possible leurs chuchotements ponctués d'éclats de rire. J'ai croisé leurs regards curieux, impétueux.

Nous marchons maintenant dans le parc, où nous croisons un totem haut de sept mètres. Sarah se met à rire et me lance :

— *Hey look! They made you a big-ass Canadian phallic symbol to make you feel at home...*

— Il y en a de l'Oregon à l'Alaska, des totems comme ça. C'est étrange d'en voir un ici, effectivement. Normalement, ils sont faits de bois et celui-ci semble être en béton.

— Un présage pour plus tard ?

— ...

Je ne crois toujours pas qu'il soit possible d'être aussi choyé par mon dieu préféré. Il est vrai que je le vénère intensément depuis l'âge de sept ans, mais je ne croyais quand même pas mériter autant de largesses.

29

Rien. Absolument rien ne s'est passé entre mes deux jeunes amies américaines et moi. Plus elles me parlaient de Houston, plus je pensais à Évelyne et moins j'avais envie de faire quoi que ce soit impliquant mon corps et un ou deux autres.

Avec Akiko, c'est différent. Elle a quelque chose d'éthéré qui fait que je n'ai même pas l'impression d'avoir des rapports charnels avec elle, mais plutôt de partager une sorte de transe.

Je suis retourné à mon hôtel. J'ai fait une nouvelle recherche en utilisant toutes les variantes possibles du nom et du prénom d'Évelyne. Je n'ai rien trouvé, évidemment. J'ai suivi une fausse piste après l'autre et j'ai fini par abandonner après quelques heures.

Dehors. Je marche un peu dans les petites rues autour de mon hôtel. Je cherche soit un café, soit un izakaya, soit une boutique de vélos où je pourrais enfin acheter le *mama-san* qui me propulserait à travers cette ville pulsante.

SAMUEL BISHOP-HALL

Quand je l'ai croisé au Mexique, il y a des années, j'ai fait semblant que sa trahison, son aventure avec Mei Li, ne me causait pas de problème. Il m'a cru. Il a cru à cette histoire que j'avais inventée sur-le-champ. Il a cru qu'elle était une amie d'enfance, que je voulais simplement tester sa loyauté en la mettant sur son chemin. Elle n'était pas du tout une amie d'enfance. Elle était, je croyais, et je crois peut-être encore aujourd'hui, la femme de ma vie. Elle était, je crois, au moins un peu amoureuse de moi, de mon talent peut-être plus que de moi dans mon intégralité. Je savais écrire et je savais parler. J'étais, en quelque sorte, un prince. Mais même un prince n'a aucune chance face à un troubadour, un esprit léger sans attaches qui sait charmer avec conviction, même sans croire un traître mot de ce qu'il dit et surtout de ce qu'il chante. C'était ça, son pouvoir, à Antoine. C'était ça, son véritable talent. Se foutre éperdument des sentiments des autres, de l'avenir, de la permanence. Il avait atteint une espèce de nirvana sans renoncer à son ego. C'est paradoxal, mais c'est vrai.

30

Je nage dans un océan Pacifique trop calme alors que m'inondent des souvenirs de ma sixième année. Je vois le vieil attirail de la ferme. Je vois mon grand-père fumant sa pipe, se berçant dans sa chaise, attendant que je vienne m'asseoir sur ses genoux. Attendant le moment où il pourra faire semblant d'arracher mon nez en me montrant son pouce qui pointe entre son majeur et son index et en riant si fort qu'il risquera de perdre son dentier. Je me vois tombant du vieux chêne, ivre du parfum des lilas, dans un tapis d'humus qui ne suffit pas à amortir ma chute. Je me relève avec un bras cassé et la peur en cadeau.

Je vois mon corps jeune et souple nageant sous l'eau, en extase après avoir trouvé sa demeure véritable. J'entends ma mère qui chantonne sur son grand canapé bleu en lisant des milliers de romans d'amour, refusant d'accepter que la réalité ait plus d'emprise sur nous que la fiction. Je ressens la piqûre d'un moustique nullement étourdi par la fumée qui monte d'un feu de joie dans la nuit de l'Atlantique Nord, sur cette plage qui a accueilli mon enfance, enveloppé toutes les mythologies inventées devant les crépitements par de petits garçons surexcités qui arrivaient à oublier, le temps d'un été, que la vie était le plus souvent remplie de livres d'école qui nous rappelaient que les saisons qui nous attendaient seraient asséchées, assourdissantes et immuables.

Je sens déjà la peau contre la peau, le toucher qui viendra seulement quand mes années auront doublé et que la longue incubation tirera à sa fin, aussi silencieusement qu'une aube qu'on n'attend plus.

31

Je n'ai jamais vu autant de mouettes de ma vie. Elles volent vers moi. Je ne sais pas ce qu'elles me veulent. Je tente de ne me souvenir de rien. Des nuages trop blancs s'éloignent d'un soleil de milieu de jour aveuglant. Une respiration ancrée, ancrée, ayant juré fidélité à un cœur et un seul. Le mien. Si seulement son rythme pouvait se perdre dans la cacophonie des autres cœurs, que je m'y noie pour de bon.

Le cœur de Léo, lui, est sûrement en train de pomper beaucoup trop de sang vers sa tête alors qu'il s'insurge contre les femmes ou contre l'art ou contre les deux à la fois. Il se tient sur le balcon, à l'étage de la maison, sa main droite constamment en mouvement, comme s'il dirigeait une symphonie rageuse en crachant vers le ciel.

— C'est comme, tu sais, ces spirales de lumière que tu vois quand tu fermes les yeux ? C'est ÇA que je veux peindre ! De toute façon, ç'a pas d'importance, ce que je veux peindre. Ce que je veux a jamais d'importance. Tout ce que je peux faire d'un jour à l'autre, c'est effleurer ce que je cherche à faire. Ça et me demander pourquoi j'arrête pas tout ça.

— Parce que t'as pas le choix. C'est comme l'écriture pour moi. C'est pas un choix, c'est juste ce qu'il faut faire. C'est juste là. Au moins toi, ton art te fait vivre. Tu vends tes photos et tes peintures à des prix pas mal plus élevés que, moi, mes poèmes !

— Ça paye le loyer, c'est vrai. Je l'apprécie, j'imagine, mais c'est pas du tout la raison pour laquelle je continue. Je pourrais facilement gagner ma vie autrement ou même vivre de mes rentes. Tu le sais bien. C'est comme avec les femmes. Elles me font sourire avec leur comportement ridicule, elles me laissent explorer leur corps au lit… Tout ça, c'est que la surface. J'arrive jamais à rien de… transcendant. J'arrive jamais à dépasser… la pensée. La fucking pensée qui me met tout le temps des bâtons dans les roues ! Je suis tout le temps en train de penser ! Fuck ! Je viens de me voir dans trente ans ! Qu'est-ce que je disais ?

— Toutes les femmes sont des putes.

— J'ai vraiment dit ça ?

— Non.

— Ben, j'aurais dû. C'est ça, la vérité.

Léo se lève, prend son appareil photo et marche vers le village où il ira capter sur pellicule des choses et des êtres qu'il déteste. Il cherche toujours à capter des images. C'est un être obsessionnel. Il a besoin de nourrir une pulsion infinie.

*

Au retour, Léo semble presque satisfait de ce qu'il a trouvé à figer dans le temps quand il est parti comme un chien enragé. Ce phénomène s'intensifie chaque fois qu'il est sur le point de présenter une exposition, comme s'il devait dévorer assez de nouvelles images pour lui permettre d'évacuer toutes celles qui seront accrochées aux murs d'une galerie, si éloignées du contexte dans lequel il les aura imaginées. L'exposition en question aura lieu dans deux semaines, au Museo Casa Diego Rivera de Guanajuato, un lieu un peu étrange d'après le guide de voyage que je tiens entre mes mains. Ça doit ressembler un peu à chez moi.

32

Un oiseau est en train de mourir sur la plage. Léo et moi le regardons de très près. Nous mesurons à quel point nous sommes inutiles, n'ayant jamais appris comment guérir un oiseau, un poisson, pas même un être humain. Nous continuons notre marche en tentant de poursuivre notre conversation. Nous étions en train de parler de la nature de la créativité ou de quelque chose de tout aussi inutile.

— C'est comme, si je dis le mot *banane*, qu'est-ce qui te vient tout de suite à l'esprit ?

— Je sais pas.

— Tu fais tout le temps ça ! Tu sais jamais ! Sois un homme et fucking participe !

— OK, hum, pelure ?

— Évidemment ! TOI, tu vas dire PELURE ! T'es tellement fucking conventionnel ! C'est pour ça que t'arriveras jamais nulle part avec ton écriture.

— Où veux-tu que j'aille ?

— Je m'en sacre ! Tu pourrais au moins faire un minuscule effort et essayer d'aller ailleurs que *pelure* !

— Tout ça a rien à voir avec mon écriture. Tu te sens rongé par quelque chose pis tu t'attaques à moi et à mon travail pour te divertir.

— Vas-y! Essaye de me faire une psychanalyse! T'es tellement fucking faible! Tu cherches la facilité, comme d'habitude.

— Tu veux dire quoi, exactement?

— Je veux dire que t'as toujours peur de parler de ton écriture. T'as toujours l'impression d'être sous attaque, encerclé par je sais pas trop quelle force maléfique. Tu prends tout tellement personnel. T'es tellement susceptible! C'est comme si t'arrivais jamais à défendre ton travail de manière rationnelle. Dans mon monde à moi, c'est pas possible d'être comme ça.

— Peut-être que j'ai pas du tout envie de vivre dans ton monde. Pour moi, l'écriture, c'est quelque chose d'extrêmement intime. C'est un acte privé, à la limite du sacré. C'est comme la seule forme de religion qui me reste. Quand il y a communion, c'est en silence, entre la page et le lecteur, en différé. Le lecteur prendra ce qu'il voudra et me laissera le reste. C'est comme ça que nous communiquons, si la communication existe.

— Tu vois? Tu peux même pas affirmer que la communication existe en plein milieu d'une conversation. T'es irrécupérable! Pourquoi je perds mon temps avec toi?

— « Tout est relatif », comme disait l'autre ébouriffé.

— Einstein.

— Je sais.

— Ah, tu essayais d'injecter un peu d'humour dans la conversation pour faire oublier le fait que tu pratiques une activité tous les jours, c'est-à-dire l'écriture, sans savoir tout à fait pourquoi tu continues à le faire ?

— Je peux jamais être sûr de rien. C'est fucking prétentieux de croire que ce qu'on fait peut avoir une influence sur quiconque. Je le fais parce que j'ai pas le choix et j'ai aucun contrôle sur ce qui peut arriver après.

— T'as un gun sur la tempe ?

— Non.

— Alors t'en as un, un choix. T'es tellement fucking naïf ! Comment je fais, moi, pour continuer à te respecter ? Quelqu'un comme toi ? Qui pense comme ça ?

— Je t'ai jamais demandé de me respecter.

— Exactement !

Et c'est à ce moment-là que le soleil commence à disparaître derrière les montagnes et qu'un silence anesthésiant s'installe sous la brunante.

33

Rêve. Je suis dans un jardin espagnol baigné de lumière. Un oiseau outrenoir fait des cercles concentriques dans le ciel céruléen. Le goût qui reste sur ma langue me propulse vers un souvenir rugueux. Je m'engueule avec Célestine. Je veux que nous passions des tests de sang. Elle me lance des injures, me crie que jamais personne ne lui fait confiance. Ses larmes sont celles d'un enfant errant dans la plus dense forêt du monde, ayant abandonné tout espoir de trouver un seul des mille sentiers qui pourraient la mener jusqu'à la maison. Deux désirs me tenaillent. Ma tête veut être son sentier, mon cœur veut être sa demeure.

34

Léo et moi sommes assis sur des billots, sous deux arbres fatigués, en attente de l'autobus bien précis qui nous mènera à Puerto Vallarta. Celui-ci doit en effet avoir l'âge et la combinaison de couleurs qui répondront à tous les critères esthétiques de Léo. Depuis trois heures, cinq bus de différentes lignes sont arrivés, se sont arrêtés et sont repartis sans nous.

— Combien de temps exactement est-ce qu'on va attendre ce bus parfait, béni de la main de Dieu ou de la main de l'entité que tu imagines avoir créé un bus comme tu les aimes ?

— Je suis très patient.

— Ça veut dire quoi, au juste ? Une heure de plus ? Deux heures ? Trois ?

— Sais pas.

— Alors peux-tu au moins me dire de quoi il a l'air ? Comme ça, quand je le verrai, je pourrai me lever et faire la danse de la joie qui consume tout sur son passage devant les phares divins de ce véhicule plein de grâce.

— Tu me surprends jamais. Ta réaction ressemble exactement à ce que j'attends toujours de ta part.

— C'est-à-dire ?

— Quand tu comprends pas une chose ou une idée, tu t'en moques. C'est tout ce que tu sais faire. Tu cherches jamais à trouver un nouveau sens aux événements. T'évolueras jamais si tu continues comme ça.

— Qu'est-ce qu'un bus a à voir avec mon évolution spirituelle ou intellectuelle ? Tu deviens fou ! Un peu trop de soleil, peut-être ?

— Un bus peut t'emmener quelque part.

— Et dans ce lieu nouveau, j'aurai la possibilité d'évoluer ?

— Tu comprendras jamais ! Le point A et le point B veulent absolument rien dire. Rien !

Nous restons là à attendre encore une heure et retournons à la maison dans le silence le plus total. Je choisis de ne pas voir ces heures passées sous les arbres comme une perte de temps immense mais plutôt comme une leçon de patience gracieusement offerte par mon étrange ami Léo.

35

L'air nocturne a la fragrance d'un printemps perdu. Je suis dans ce pays depuis deux mois. J'ai essayé de lui écrire treize fois. Célestine. J'ai tenté de noyer trop de souvenirs dans du brandy Presidente. J'ai écouté un nombre incalculable de chansons, espérant trouver le mot qui me libérerait de moi-même. J'ai relu *Under the Volcano* trois fois et je me sens beaucoup plus comme un *espider* que comme un *wrider*. J'ai été paresseux et stupide, ivre et malade. Chacun de mes rêves s'est terminé sur une image où je plongeais dans une piscine remplie de vomi. J'ai solennellement accepté que le monde continue à refuser de me divulguer ses secrets. Quand la nuit viendra, je me tairai sans trembler.

36

Léo respire la *Sixième* de Beethoven alors qu'il traverse les montagnes sur la route de Guanajuato. Je fais semblant de dormir sur la banquette arrière de sa Chevrolet Lumina en tentant de chasser des images d'Acadie de mon esprit trop éveillé. Mon père culbute dans l'escalier menant au sous-sol de la maison de briques rouges où j'ai passé mon enfance. J'ai douze ans. J'arrête de courir et me retourne, m'attendant à le voir écroulé, le cou cassé. Il termine sa chute debout et droit comme un soldat un jour de parade. Sa bouche semble vouloir rire, mais ses yeux ont la couleur de la colère. Je reprends ma course et glisse en dessous du lit où Sabine et moi avons baisé pour la première fois, la nuit précédente. Nous avons trouvé notre petite parcelle d'éternité. Sa peau si blanche, mes plus belles absences. Depuis plus de dix ans, je tente de reconstruire cette nuit. D'une seconde à l'autre, d'un souffle fragile à un autre souffle fragile.

37

Guanajuato. Je monte un escalier qui mène à la sortie d'un tunnel sombre, comme il y en a tant dans cette ancienne ville minière. Je monte vers la lumière ayant nourri les yeux brillants et brûlants du petit Diego Rivera. À la sortie du tunnel, une fontaine, un café et la troisième plus belle fille que j'ai vue dans ma courte vie.

38

Rafaela est étendue à mes côtés. Je lui murmure des mots éthérés en espagnol. Elle les prend et compose une infime aria dans la tonalité du petit matin. La musique cesse et elle regarde mes deux billes bleues pleines d'attente. Sa gorge laisse échapper des sons de la couleur d'un creux au fond du cœur.

— Normalement, le matin est mon ami.

— Et maintenant ?

— Tu dois partir aujourd'hui.

— Viens avec moi.

— Je peux pas. Mes parents viennent me voir demain. Toi, reste.

— C'est pas une bonne idée.

— Pourquoi ?

— Léo m'accuserait de l'avoir abandonné. Ça se passerait pas bien pour moi. Sa vengeance serait imprévisible et brutale.

— Mais il a l'air si calme, si raisonnable.

— « Tu n'as rien vu à Hiroshima, rien. »

— Quoi ?

— Rien.

— Non, vraiment : quoi ?

— Juste une réplique dans un film que j'ai vu avant…

— Avant ?

— Avant de rencontrer une fille presque aussi belle que toi.

Je suis probablement le pire menteur du monde. Chaque fois que je tente de mentir, une vague de regrets m'assaille et je me noie parmi tous les visages devant lesquels j'ai prononcé une fausseté.

39

Alors que Leonard Cohen parle d'une chaise et d'une revue morte, Léo tente de m'expliquer pourquoi il trouve entièrement justifiable son intention d'assassiner son galeriste. Ses mains ont tendance à oublier qu'elles conduisent alors qu'il parle.

— C'est de l'autodéfense ! Un homicide justifié !

— Tu dis que le fait de réaliser un mauvais accrochage peut être considéré comme étant aussi grave qu'une attaque à main armée ? T'es complètement fou ! Aucun juge acceptera ça. Les yeux sur la route !

— Un juge chinois l'accepterait.

— Quoi ?

— Feng shui.

— Tu me perds, là. Un autobus !

— La disposition des objets, la circulation de l'énergie. Il y a une banque de Hong-Kong qui a poursuivi une autre banque en justice pour cause de mauvais feng shui.

— OK, mais tu peux quand même pas tuer un gars parce qu'il s'est trompé un peu. C'est quand même un très bon galeriste. Il me semble qu'il t'organise plein d'expos dans des lieux intéressants. Penses-y une seconde. C'était la MAISON de Diego Rivera !

— Si c'était arrivé à Rivera, il aurait sorti son pistolet.

— Peut-être... Mais c'est arrivé à Léo Frontin et Léo Frontin a une maîtrise de soi exemplaire, pas vrai ?

— La décision a été prise.

— *What the fuck does that mean ?*

— Ça veut dire ce que ça veut dire.

— Tu comptes faire ça quand, au juste ?

— *La patience est une clé qui ouvre toutes les portes.*

— C'est quoi ça ? David Carradine dans *Kung Fu* ?

— Un proverbe algérien.

— Et comment tu t'es rendu en Algérie ?

— J'y suis allé pour une exposition, tu le sais bien.

— Organisée par ?

— Mon galeriste.

— Exactement. Sans lui, tu serais même pas au Mexique en ce moment, t'aurais même pas de voiture.

— Et d'après toi, c'est une assez bonne raison pour renoncer à l'idée de le tuer ?

— Ça me semble meilleur comme raison de pas le tuer que le feng shui comme justification d'assassinat.

— Te moque pas. C'est sérieux. Il faut que je pense.

— J'y crois pas ! J'ai réussi à instiller un doute.

— Non, je dois penser au moyen qu'on va utiliser pour le faire.

— Comment ça, *on* ? Tu peux pas me demander de participer à ça !

— Soit tu suis, soit tu descends.

— On est au milieu de nulle part !

— T'es déjà au courant de ce que je compte faire. Si tu décides de me dénoncer, tu pourrais être perçu comme un complice. Tu préfères passer les prochaines années dans une prison mexicaine ou dans ces montagnes pleines d'épiphanies en attente ?

Léo applique les freins, ouvre sa fenêtre, insère son index gauche dans sa bouche puis le sort à l'extérieur de la voiture.

— Le vent souffle vers le sud. Tu peux aller à México. Il existe pas de lieu pareil à ça dans le monde.

— Quoi ?

— *Get the fuck out !*

— Tu… tu peux pas faire ça. C'est presque aussi pire que de tuer quelqu'un.

— Je m'entraîne.

— Je vais mourir ici. Je vais me faire attaquer par un tigre ou une bande de *bandidos* ou quelque chose !

— Tu survivras si tu le veux vraiment.

— Ce qui ne me tuera pas me rendra plus fort, c'est ça ?

— Exactement.

— Bullshit ! T'es complètement fucking fou ! T'es tombé sur la tête. Tu vas sacrifier notre amitié, ton art et la vie d'un honnête homme à cause du fucking feng shui ?

— Je sacrifie pas du tout notre amitié. Je t'aime encore. C'est juste que si tu peux pas me suivre, tu dois trouver ta propre voie et je crois que c'est un très bon endroit où commencer à la chercher.

— Comment ça ?

— T'es au milieu des montagnes. Tu peux monter, descendre, aller vers le nord, le sud…

— Pas besoin de me faire un dessin.

— Alors prends ton sac et choisis ta voie.

— Fais pas ça, *man*.

— Tu me laisses pas le choix.

— Je veux dire tue-le pas.

— Il doit savoir ce qui l'attend. Il l'a cherché. Est-ce que je vais être obligé de te faire sortir de force ?

— Pas nécessaire. J'y vais. Je serai probablement plus en sécurité ici que si je te suis dans ta chasse à l'homme dadaïste complètement fuckée.

— Sans doute, mais si c'est la sécurité que tu cherches, tu vas vivre une vie complètement vide de sens.

Je prends mon sac et sors de la voiture. Pour la première fois, je remarque que la plaque d'immatriculation de Léo porte le code REM 777. On pourrait y lire « rêve de Dieu », REM signifiant *rapid eye movement*, notre activité oculaire quand nous rêvons, et le triple sept rappelant les sept dons de l'esprit, les sept anges, les sept trompettes et même les sept vertus ! Je commence à me demander si Léo est bien réel. Il est peut-être une espèce d'ange gardien qui vient d'abandonner sa tâche. Je devrai me débattre seul au milieu de ce gâchis. Bizarrement, je ne ressens ni peur, ni colère, ni abattement. Je me sens plus vivant et plus lié à la Terre que jamais. L'air, les arbres, les étoiles et les montagnes sont habités d'un silence qui me rend ma certitude que tout finira bien. Ou, à tout le moins, finira.

40

Je suis assis en indien sur le bord de la route, mon sac sur les cuisses. Je tente de faire monter une image de ma douce et gracieuse Rafaela, mais je ne peux qu'appeler l'insaisissable et sadique Célestine. Je dors dans son beau grand lit, un samedi matin, après un corps à corps juste assez sordide. Elle s'approche de moi avec un seau rempli de glace et de poissons. Elle veut faire en sorte que je développe une aversion pour toutes les autres femmes (elle croit qu'elles sentent toutes le poisson). C'est le seul moyen qu'elle a trouvé pour arriver à me faire confiance.

Je bondis hors du lit, transis et poisseux. Je me dis que je vais tuer cette petite garce. Je l'aime plus que tout mais je vais la tuer cette petite garce. Je la poursuis en courant nu partout dans la maison, laissant ma folie prendre le dessus, comme je l'ai probablement toujours voulu. Elle sort en criant, aussi nue que moi, se met à courir de pelouse en pelouse dans Outremont, jusqu'à ce que la police intervienne et rende notre relation plutôt difficile à poursuivre. J'ai beaucoup de regrets, mais celui d'avoir laissé monter ma colère ce samedi-là, étant donné les conséquences engendrées, fracasse tous mes autres regrets.

*

J'ai perdu d'abord Sabine, à la fin de mon enfance, dans ma treizième année. C'est elle qui m'a fait découvrir à quoi sert véritablement cette enveloppe charnelle que nous traînons partout où nous allons. C'est elle qui m'a fait comprendre pourquoi j'écris, pourquoi je chante, pourquoi je me pose de temps en temps au milieu de mes errances.

Dix ans plus tard, j'ai perdu Célestine, celle qui m'a fait comprendre à quel point je ne pouvais pas vivre pleinement sans côtoyer de près la folie.

Vingt-deux ans après elle, j'ai connu et perdu Évelyne, celle que j'avais l'impression d'avoir cherchée toute ma vie. Celle des trois avec qui j'ai passé le moins de temps, mais qui semblait me mener vers une baie protégée des marées et des vents malveillants, où j'allais pouvoir m'ancrer.

41

La nuit est immense au Mexique. Elle est si étoilée, longue et silencieuse que mon esprit tourbillonne et mes yeux se ferment, orchestrant des souvenirs d'éclats lumineux. Le Mexique est la mère porteuse de tous mes souvenirs. L'enfance surgit constamment, m'appelle de sa voix douce et imprudente. Le jour où je me suis presque noyé prend lentement forme. L'image est éthérée, pas du tout au point. Le son de la panique sous les vagues. La compréhension subite, à l'âge de sept ans, qu'un beau jour d'été je mourrai et que, ce beau jour d'été, les seules voix que j'entendrai seront celles qui sillonnent ma cervelle. Des fragments de ma mémoire imparfaite reconstruits à la vitesse de la lumière.

Je suis seul en ce moment, mais je ne me sens pas seul. Je me sens bercé, protégé, enveloppé par la nuit mexicaine. Une tendre berceuse est chantée par le vent dans la tonalité de l'aube naissante, les montagnes et le ciel sont arrosés d'étoiles si peu mouvantes. Ma main tremble et ma voix se perd dans une mer de langues étrangères. La géographie de mes pensées est celle du désert et a soif de cette même mer. Cette mer où j'apprendrai peut-être enfin à me noyer. Ce qui m'est arrivé à sept ans n'était qu'une répétition.

42

Sabine murmure une chanson dans mon oreille. Mes yeux sont fermés mais pas assez pour empêcher des lames de lumière de s'insinuer sous mes paupières. Ma bouche balbutie quelque chose au creux de son cou. Mes mains tentent de garder cet instant par le pouvoir pulsant de la mémoire du corps. Ce corps justement tremble comme jamais alors que son sperme lui échappe pour la première fois. Ma semence se mélange aux fluides de Sabine et nous flottons ensemble l'un vers l'autre. Presque l'un dans l'autre, mais pas tout à fait.

43

Il y a plus de coccinelles au Mexique que partout ailleurs dans le monde. Ce modèle de Volkswagen y a longtemps été fabriqué. L'une d'entre elles se dirige vers moi. Je me lève en sautillant, pousse ma main droite vers la route avec mon pouce en alerte et offre un sourire plus que ridicule au chauffeur. Il s'arrête. Je saute dans la voiture. Il me regarde d'un air bienveillant, démarre. Je lui donne la mi-vingtaine.

— *¿A donde va?*

— *Hum... México, señor.*

— *¿Como se llama?*

— *Hum... Antonio.*

— *Federico.*

— *Mucho gusto. Gracias Federico.*

— *You don't speak much Spanish, do you?*

Federico n'a aucune trace d'accent espagnol quand il s'exprime en anglais.

— *Hum, I'm trying to learn. Your English is, like, perfect.*

— *I grew up in Arizona.*

— *Really? Where?*

— Gila Bend.

— Jesus! Someone once sent me a postcard from there. It's like, really small, isn't it?

— Fifteen hundred people.

— Fourteen hundred and ninety-nine.

— Right. I almost forgot that I left.

— How long?

— Have I been here?

— Yeah.

— Six months.

— Are you living in Mexico City?

— Uh-huh.

— Are you like, working there?

— Yeah. I'm working with an artists collective called La Panaderia.

— Cool, I've heard of it. I think I read an article in ARTNews.

— Are you an artist?

— No, I'm sort of a writer. I have a friend here who is, though. He's the one who left me out here.

— I wouldn't want to meet your enemies. Is he Mexican?

— No. He's been based in New York lately.

— Is that where you're from?

— No. I was living in Montreal before I came down here.

— I had a show there. A place called Observatoire 4.

— I know it. On the fourth floor of the Belgo *building. Good space. Small, but they put on cool shows.*

A lot of international artists. What did you think of Montreal?

— *It's a strange place. There seems to be a whole lot of energy there that doesn't know where to go. I like that they speak French there. My mother is French so it was nice to be able to speak the language while I was there. Hey, you must speak French. Can we switch?*

— *Sure.* C'est vrai qu'il semble manquer de conduits pour canaliser l'incommensurable énergie des Montréalais.

— Et toi, qu'est-ce qui t'a fait venir ici ? T'as lu *Mexico City Blues* ou quoi ?

— *Under the Volcano.* Ma vie a comme explosé à Montréal, alors je suis retourné au Nouveau-Brunswick, la province canadienne d'où je viens, juste au nord du Maine. J'y suis resté un peu, j'ai rêvé du Mexique et Léo m'a appelé. J'y suis donc venu.

— *Under the Volcano* ? México a changé juste un peu depuis 1938. Pourquoi ton ami Léo t'a laissé au milieu de nulle part ?

— Il m'a donné deux choix.

— Lesquels ?

— Je pouvais soit le suivre, soit trouver ma propre voie, et comme il est sur un pied de guerre, j'ai choisi de prendre la route des montagnes.

— Il part au Chiapas se joindre aux *zapatistas* ?

— Non. J'y serais peut-être allé si ç'avait été le cas. *He's going to murder his dealer.*

— *Drug dealer or art dealer?*

— Son galeriste.

— Je peux comprendre un peu. Qu'est-ce que cette ordure lui a fait ?

— Mauvais feng shui.

— *That Chinese thing with the angles and shit ?*

— Exactement.

— Quel crime a-t-il commis contre le feng shui ?

— Il a mal accroché un tableau.

Federico sort un paquet de cigarettes Boots et un briquet.

— T'en veux une ?

— Merci.

— Son galeriste new-yorkais ?

— Oui. Benjamin Cole.

— *Fuck, he's a good dealer.* Je veux dire, en général, les galeristes sont des vermines, mais Cole a une bonne réputation. Il est juste, il prend des risques avec de jeunes artistes. Il les aide comme personne à faire évoluer leur carrière.

— C'est ce qu'il a fait pour Léo.

— L'expo, c'était où ?

— Guanajuato. Museo Casa Diego Rivera.

— Guanajuato, c'est sublime, non ? T'es allé voir les vieilles mines d'argent ?

— Non, j'ai juste erré quelques jours.

— Tu vas pouvoir errer bien plus que quelques jours dans *México defectuoso* ! C'est comme nulle part ailleurs.

— C'est ce qu'on me dit.

44

México. Federico a essayé de me convaincre de loger chez lui, mais je ne voulais pas m'imposer. Il m'a ensuite mené à l'Hotel Dos Naciones, tout près du Palacio de Bellas Artes et du Centro Histórico. Je suis également tout près du parc Alameda, le terrain de chasse de William Burroughs en 1949. Y est-il allé après avoir tué sa femme en jouant à Guillaume Tell ?

45

Presque tout le monde a la peau blanche et les cheveux clairs à la télévision mexicaine. C'est comme s'il y avait un univers parallèle où les Espagnols ne s'étaient jamais mélangés avec les Aztèques, les Olmèques, les Huichols. Ça n'a pas de sens. Les Mexicains sont l'un des plus beaux peuples sur Terre, mais ils ne semblent pas le voir. Je regarde l'une des innombrables émissions de variétés qui me rappellent un peu ce qui se fait au Québec. Je ne comprends pas trop ce qui se passe, mais tout le monde sur le plateau me semble beaucoup trop énervé. C'est trop pour moi. Je ferme la télé et me laisse choir sur le lit trop mou, un peu fier d'avoir résisté à l'attrait d'une mauvaise émission.

Aussitôt les yeux fermés, ma Sainte Trinité juste à moi se manifeste vaporeusement dans ma tête. Sabine la mère, Célestine la fille et Rafaela l'Esprit saint. La mère est mariée maintenant et a sa propre maison de briques rouges. La fille a été envoyée en pension en Suisse où, si le vœu de ses parents se réalise, l'air de la montagne calmera ses ardeurs. L'Esprit saint dort peut-être et rêve de la prochaine chanson que je vais lui susurrer à l'oreille. Je voudrais ne faire que hurler jusqu'au jour des Morts, mais j'entends Rafaela me chuchoter que je n'aurai qu'à chanter pour que ses yeux noirs fleurissent et prennent toute la place dans mon âme. Je tente de me souvenir d'une chanson que je pourrais chanter, mais je n'entends que l'appel du sommeil.

46

Matin. Un rêve mettant en scène des mariachis meurtriers reste imprimé sous mes paupières. Tout se passe au ralenti. Trois d'entre eux me poursuivent et m'annoncent, très peu calmement, en espagnol, qu'ils vont m'empaler avec leurs guitares. Ils sont à mes trousses alors que je cours à toutes jambes sur le Paseo de la Reforma. J'arrive à les semer en descendant dans la station Chapultepec. Mon père m'attend près de la rame. Il me dit que je dois retourner dans la maison de briques rouges où Sabine m'attend, nue comme un ange du Caravage. Il y a ensuite un fondu enchaîné et je vois notre wagon de métro volant à travers les nuages et atterrissant sur la pelouse, devant ma maison d'enfance. Les portes s'ouvrent. Mon père se donne un élan et me lance un coup de pied qui me propulse au travers de la petite fenêtre du sous-sol. Je rebondis sur trois des murs peints avec des motifs Op Art et termine ma chute dans les bras de mon petit ange orgasmique. Elle chante une version opéra d'une chanson de Blondie. « *Call me! I'm alive! You can call me, call me anytime. Call me!* »

J'ouvre la bouche afin de chanter avec elle mais plutôt que des notes, c'est de la lave en fusion qui sort et la chanson de Sabine se met à bouillir.

47

J'allume la télé. Ils montrent un temple aztèque. Ils sont en train d'interviewer une archéologue. D'après ce que j'arrive à comprendre, quelqu'un a trouvé quelque chose d'important. Je ferme les yeux et imagine que je suis au sommet du temple en train de me faire sacrifier, le couteau du prêtre plongeant dans ma poitrine, sa main gauche sortant mon cœur de mon corps. Je n'arrive pas à garder l'image dans ma tête. Léo est dans sa Lumina, roulant vers le Texas, laissant ses pulsions meurtrières prendre de l'ampleur, une autre symphonie de Beethoven battant dans ses oreilles de sanguinaire en devenir, alors qu'un autre tatou se sacrifie sous les roues de son véloce et lumineux rêve de Dieu.

48

Palacio de Bellas Artes. Je parle avec mon père au téléphone. Il me traite de fou. Il me dit que je n'aurais jamais dû venir ici, que je devrais quitter México au plus sacrant. Il ajoute que con et inconscient comme je suis, je vais finir par me faire tuer. Il commence à penser que c'est ce que je veux, de toute façon. Je tente de me défendre, mais suis peu convaincant parce que je crois de plus en plus qu'il a raison. Je suis peut-être venu ici à la recherche d'un coup du sort qui me mènerait vers la mort. C'est peut-être ça, la voie que je dois choisir. Lorsque Léo énumérait les différentes directions qui s'ouvraient devant moi, il a oublié la plus évidente : *under, under, under the volcano.*

FLORENT STEIN

Il se croit pardonné. Je les ai suivis, Léo et lui, et ce faisant, j'ai laissé derrière moi l'amour de ma vie. Ils ont été si convaincants. Ils m'ont fait croire que le seul moyen de mener mon projet de création à terme était de m'exiler avec eux, de m'isoler avec eux, d'oublier pour un moment l'immense distraction qu'est l'amour. Je me suis dit que je retrouverais Ethan après quelques mois d'écriture, le temps de terminer ma pièce, que j'irais le rejoindre dans la villa de ses parents aux îles Caïmans, mais le temps nous a joué un tour. Le temps et, bien sûr, mon aveuglement. J'ai été, comme toujours, aveuglé par mes deux princes brillants et brûlants comme soleils. Je leur ai offert mon affection, ma confiance, ma loyauté. J'ai été puni. Ethan s'est noyé dans la piscine de ses parents juste avant que je quitte le Mexique.

49

Je suis installé avec Federico dans un café qui s'appelle Canto General. John Doe et Exene Cervenka chantent une chanson qui parle de se réveiller sous un clair de lune. Il y a surtout des Mexicains plutôt *artsy* dans le café, mais il y a également le minimum requis d'expatriés américains à la recherche d'eux-mêmes dans ce labyrinthe d'amour et de mort aussi profond et envoûtant qu'un poème d'Octavio Paz. Federico allume une cigarette et balaie le lieu du regard.

— Alors, tu penses quoi de México ? Tu commences déjà à te sentir avalé par elle ou non ?

— Un peu. Le plus bizarre, c'est la télé.

— Tous ces gens blonds ?

— Ouais.

— L'estime de soi ici, c'est pas comme un volcan, disons.

— Comment ça influence les artistes ? Le mélange de cultures aztèque, maya, olmèque, européenne avec toute la folie de l'Église catholique et les émissions de variétés ultra-kitsch...

— T'as oublié l'influence de la culture américaine.

— Je l'ai pas mentionnée parce qu'elle est présente partout, même si on la voit pas. C'est comme le sucre ou le sel.

— T'as décidé ce que tu vas faire ? Pour ton ami cinglé, je veux dire.

— Pas encore.

50

Les Beastie Boys hurlent *Sabotage* dans le système de son. L'odeur du café chatouille mes narines. Le goût de la cigarette réveille des souvenirs que j'aurais préférés lointains. Célestine et moi partageons une cigarette au Bistro 4, à Montréal. Je me prépare à assister un ami dans une performance poétique évoquant Cordoue. Mon rôle à moi, c'est de répéter les mots *café con leche* aux moments appropriés. Célestine est fâchée comme d'habitude et fait tout ce qu'elle peut pour me rendre nerveux. Elle me pince la cuisse en me disant que si je me trompe durant la performance, mon ami ne me pardonnera jamais. Elle prétend que j'aurais dû répéter au lieu de la baiser comme un con dans les toilettes. Je ne suis pas digne de l'amitié de Kazuo. J'ai laissé le désir prendre le dessus sur la poésie. Je lui réponds que je n'ai fait que suivre l'esprit du *duende* en la suivant jusqu'aux toilettes et que je serai plus viscéralement au diapason de l'esprit des poèmes. Je lui dis que, grâce à notre petit corps à corps, ma voix aura en elle la résonance de nos deux souffles ténus au sein de notre douce mais tumultueuse complicité.

Mon ange ruminant est brièvement apaisé par mes paroles, mais son humeur change aussitôt qu'elle voit une autre fille marcher près de nous. Elle me demande alors rageusement ce qu'elle me demande chaque fois qu'une autre se trouve dans les parages : je la trouve belle ou pas ? À l'instant précis où je m'apprête à débiter mon soliloque habituel où je lui répète que je ne vois qu'elle, que les autres n'existent pas lorsqu'elle est là, mon ami Kazuo me prend doucement le bras et me guide vers la scène où je l'aide à livrer son poème en évitant soigneusement le regard fulminant de Célestine.

Lorsque nous terminons la performance, je plonge dans un souvenir, au milieu des applaudissements. Ma grand-mère est sur son lit de mort. Elle nous offre un dernier sourire, à ma sœur et moi. Ses yeux sont les yeux de toutes les femmes. Sa mémoire se fond dans la mienne.

Une unique larme coule sur ma joue gauche lorsque Federico touche mon bras et m'extirpe de cette mer de réminiscences accumulées. Il me dit que nous devrions marcher un peu. J'opine en signe d'approbation. La nuit est fraîche, étrangement sereine. Nous marchons sur Reforma au rythme d'un poème de García Lorca récité par Federico. Nous sommes déjà ivres. Les Beastie Boys hurlent toujours *Sabotage* au fond de mon crâne. Ma langue est toujours paralysée. Mon souffle est profond, mes sens, engourdis.

51

« La patience est la clé qui ouvre toutes les portes. » Voilà les premiers mots qui surgissent à mon réveil. Je vois Federico étendu sur le plancher, à l'autre bout de la chambre de l'Hotel Dos Naciones. Je ne me rappelle rien. Je ne sais pas du tout comment on s'est rendus ici, comment je me suis endormi. Federico commence à se mouvoir et ouvre lentement les yeux.

— *Federico ! What the fuck happened ?*

— *La Furia, hombre. La Furia !*

— *Is that, like, a drug or something ?*

— Non. C'est un bar juste à côté de la plaza Garibaldi où vont souvent boire les mariachis après leurs spectacles.

— Je m'en souviens pas.

— Disons que ta nuit a été mouvementée.

— La dernière image que j'ai d'hier, c'est toi qui récites du Lorca sur Reforma. Après ça, c'est complètement flou.

— On va déjeuner chez Sanborns ? Je pourrai te raconter tes aventures.

— OK, cool. J'ai un peu peur de savoir ce que j'ai fait, par contre.

— *You're lucky to be alive, my friend. Lucky to be alive…*

52

Sanborns. Nous mangeons dans la cour intérieure, splendide. Nous avons tous les deux commandé des *huevos rancheros.* Il y a trois jeunes filles ricaneuses assises derrière nous. Je regarde les colonnes tout autour de la cour. Les paroles « *esta una experiencia religiosa* » se répètent sans cesse dans la chanson qu'on entend à la radio.

Federico prend une langoureuse bouffée de sa première cigarette de la journée. Mon esprit flotte vers l'est, au-delà de Veracruz, du golfe du Mexique, de l'océan Atlantique, et jusqu'aux Alpes, près de Lausanne, où elle est probablement en train de lire du Rimbaud dans sa cellule en préparant son évasion. Je me demande si elle a encore cette longue frange dans laquelle j'aimais tant plonger. Je me demande si son visage est devenu un visage de femme plus qu'un visage de fille. Je me demande si, par cette transformation, elle s'est mise à me détester.

— Tu veux que je te raconte la merveilleuse aventure de Federico et Antoine ?

— Je crois… Est-ce que ça va me faire faire une crise cardiaque ?

— Probablement.

— *Go right the fuck ahead, then.*

— *All right.* On marchait le long de Reforma et je récitais ce poème de Lorca parlant de New York. Après, tu m'as dit que tu étais curieux de découvrir un peu l'univers des mariachis. Tu ne comprenais pas l'attrait que pouvaient avoir des musiciens costumés de la sorte, jouant des instruments si particuliers. J'ai proposé qu'on aille sur la plaza Garibaldi afin que tu puisses vivre l'expérience de près. On a hélé un taxi. En chemin, tu m'as parlé d'un souvenir qui te taraudait. Tu revoyais souvent l'image d'un film que tu avais vu enfant, *The Day After*, racontant l'histoire de survivants d'un cataclysme nucléaire. Chaque fois que tu revois des images du film dans ta tête, elles sont suivies par des images de Jean-Michel Basquiat en train de peindre un tableau en lien avec le batteur jazz Buddy Miles, ou Buddy Rich, ou Buddy Ebsen ? Non, pas Buddy Ebsen. C'est qui encore, Buddy Ebsen ?

— L'acteur dans *The Beverly Hillbillies.*

— C'est ça. Et *Barnaby Jones.*

— L'homme qui ne semblait jamais vieillir. Comme George Burns ou Ronald Reagan. Ils ont toujours été vieux pour nous.

— Bref, alors que tu racontais fiévreusement tout ça, je faisais la traduction simultanée pour le chauffeur du taxi. Pour une raison ou pour une autre, il a fini par me dire qu'il venait d'avoir un bébé. Quand je t'ai parlé du petit bambin tout frais, tu t'es mis à chanter *Mammas Don't Let Your Babies Grow Up to Be Cowboys*. Le chauffeur a répondu que son enfant deviendrait médecin pendant la semaine, afin d'aider à préserver la santé des Mexicains, et mariachi les week-ends, afin d'aider à préserver l'âme des Mexicains. Tu as été tellement ému par cette idée que tu t'es mis à vomir dans le taxi de *señor* Ricardo, ce qui l'a poussé à nous suggérer de manière plutôt brutale de poursuivre à pied le chemin jusqu'à la plaza Garibaldi. En sortant du taxi, tu te sentais purgé de toute inhibition. Une fois devant les mariachis, tu as tenté de chanter avec eux, bousillant magistralement les paroles des chansons. Tu t'es mis à tourner comme un derviche, partout sur la plaza. Je pourrais te raconter en détail toutes les conneries que tu as faites, mais je crois que tu vois un peu.

— Ouais…

— Je me suis alors dit qu'il faudrait t'emmener dans un bar, qu'une centaine de *shots* de téquila te calmerait un peu. Ailleurs, ç'aurait peut-être marché, mais on est allés dans le mauvais bar, je crois. La Furia est un lieu mal famé, plein à craquer de prostitués, garçons et filles, de Mexicains plus que machos, de *locas* et d'à peu près tous les mariachis de la ville. Ils viennent là boire et se battre après leurs spectacles. Alors, on entre, on prend place à une table et, l'instant d'après, deux *putas* arrivent. Je regarde le serveur, lui dis qu'on ne veut pas de compagnie. Mais toi, pour une raison qui m'échappe toujours, tu ne comprends pas ce qui se passe, tu fais ton galant et tu offres à boire aux « demoiselles » ! Tu te fais évidemment arnaquer en payant. Tu crois le serveur quand il te dit que ton billet de cent pesos est un billet de dix. Tu payes deux fois pour les consommations, en fait. Les deux femmes sont vieilles, maquillées à outrance. L'une d'elles n'a plus toutes ses dents. Toi, tu ne vois rien. Moi, je tente d'au moins tirer quelque chose de la situation en faisant ma petite enquête sociologique. Je demande à ma pute ce qu'elle pense de México, à quoi ressemble sa vie, si elle faisait autre chose avant de pratiquer ce métier. Soudainement, tu sursautes. Tu te lèves, me regarde et dit que tu es très, très chatouilleux. J'imagine qu'elle s'était mise à te caresser là où la vie commence. Évidemment, ta pute prend ça comme une invitation et se met à te chatouiller partout où elle peut. Tu tentes de te retenir aussi longtemps que possible, mais tu finis quand même par la repousser, plutôt brusquement. Ce n'était sûrement pas voulu, mais elle tombe sur le cul. Un gros mariachi bourré l'aide à se relever et commet l'erreur de te pousser violemment. Tu es déjà dans un état second, mais là, tu entres dans une sorte de transe. Tu deviens calme, calme comme une espèce de moine meurtrier dans un film de kung-fu ! Tu prends le poignet du mariachi, qui doit peser au moins trois cents livres, et tu le fais culbuter comme s'il n'avait pas plus de poids qu'un tout petit chaton.

— Fuck !

— Attends, ce n'est pas fini… Après, tu regardes tous les autres mariachis stupéfaits dans le bar et tu dis : « *You fuckers! There's no way I'm gonna let you fat, ugly fuckers chase me all the way down Reforma again! Not this time! You picked the wrong gringo to mess with!* » Ce qui s'est passé après, je n'en ai pas cru mes yeux. Tu t'es tourné vers le gros mariachi effondré contre le mur et tu lui as craché dessus avant de lui lancer, dans un espagnol impeccable : « *¡Hijo de puta! Chinga tu madre!* » Il n'y a pas grand-chose de pire qu'on puisse dire à un Mexicain. Je savais qu'on allait mourir si je ne faisais pas quelque chose pour nous sortir de là. Je t'ai donc envoyé mon poing dans la figure et j'ai renversé la table vers les mariachis, puis j'ai pris ton bras avant de courir vers la sortie. Dehors, on a vite trouvé un taxi. Les mariachis nous poursuivaient en nous lançant des bouteilles de bière. Quand le chauffeur nous a demandé ce qui s'était passé, ta seule réponse a été : « J'ai grandi dans une maison faite de briques rouges. »

— Fuck, je suis tellement désolé !

— Tu n'as pas à l'être. J'ai eu peur, mais c'était cool. T'étais comme un Steven Seagal dans un film de Robert Rodriguez et en même temps plus énigmatique que Kane dans *Kung Fu. You were a fucking pop culture hurricane!*

— Mais on aurait pu se faire tuer !

— Pas grave. C'était comme si on était à la télé.

— Tu sais quoi ?

— Quoi ?

— Je déteste notre génération !

53

Je regarde une peinture de Frida Kahlo où elle s'est représentée en sœurs siamoises liées par le cœur. Plongé dans une réflexion à propos de la dualité de mon propre cœur, je sens des doigts familiers danser une espèce de menuet sur ma nuque. Je respire lentement sept fois avant de me retourner. Lorsque je regarde derrière moi, je vois Rafaela arborant un petit sourire parfaitement calculé pour me faire fondre. Alors que je l'attire vers moi pour l'embrasser, je vois du coin de mon œil gauche un éclat de rouge dans une peinture de Rufino Tamayo. Dans ma nouvelle mythologie personnelle, le paradis se trouve dans cette salle du Museo de Arte Contemporáneo, au milieu du parc Chapultapec de México, une ville de vingt millions d'âmes où la magie n'est qu'une autre mouche prise dans la toile quotidienne de la vie.

54

Hotel Dos Naciones. Rafaela est étendue sur le lit, nue. Je suis assis sur une chaise, habillé. Je lui ai dit que je ne voulais que la regarder, laisser monter le désir. Je lui ai demandé de bouger un peu pour moi. Elle le fait, langoureusement mais avec précision. Elle est l'équivalent visuel de Yo-Yo Ma lorsqu'il joue les six suites pour violoncelle solo de Bach ; l'essence même de la grâce. Elle est le meilleur antidote que j'aie trouvé aux ravages de la mémoire. Elle est un peu le destin et il ne faut pas badiner avec le destin.

Je laisse gonfler mon désir depuis une heure. Elle passe sa langue sur sa lèvre supérieure et en moins de deux je suis sur elle, dévorant sa langue, son cou, ses oreilles et bientôt chaque crevasse de son corps couleur d'olive. Une fois que chacun des goûts possibles s'est déposé sur ma langue, je la baise et la baise et la baise pendant aussi longtemps qu'il a fallu pour écrire le psaume des psaumes.

55

Café Canto General. Je lis un livre de Juan Rulfo. Nina Simone dissèque lentement son âme pour nous. Je me sens apaisé, purgé de toute colère. Ce que je ressens est probablement parent du sentiment que peuvent avoir les junkies après leur premier hit suivant un long séjour cauchemardesque en désintoxication. C'est rare, mais il y a peu de monde ici, aujourd'hui. Il y a moi, quelques adolescentes mexicaines de bonne famille et la serveuse beaucoup trop belle pour s'ennuyer comme elle a l'air de le faire. Elle discute un peu avec les jeunes clientes mais sait très bien qu'il ne peut y avoir de réelle connexion entre elles à cause des différences de classe sociale.

Je me suis rendu compte assez vite qu'il y avait peu de perméabilité entre les classes, dans ce pays. Je décide d'être charitable et de lui commander une autre Negra Modelo. Elle m'envoie un sourire timide et m'apporte promptement ma bière. Je lui demande son prénom et depuis combien de temps elle travaille ici. « Antonia » et « deux mois », répond-elle en espagnol.

Est-elle originaire de México ? « Non, Veracruz. » Cette ville lui manque-t-elle ? « Oui, beaucoup. Les gens sont plus avenants là-bas, plus ouverts. » Elle touche mon avant-bras en disant cela et je durcis instantanément. Rafaela arrive, se frotte contre ma jambe en s'assoyant, ce qui n'améliore pas du tout mon état. Je suis Antonia du regard alors qu'elle s'éloigne et Rafaela comprend parfaitement ce que je veux.

56

Hotel Dos Naciones. J'explore toutes les subtilités de la peau du cou d'Antonia alors que Rafaela s'occupe du centre de ma vie. Ma bouche sourit, mes couilles sont lourdes de bonheur. Antonia sent le citron et la salsa. Mon esprit vagabonde dans l'enfance sur les notes d'un solo de Hendrix. *The Wind Whispers Mary*. Ou plutôt Maria. La Vierge de Guadalupe soupire en regardant ses enfants et leurs jeux. Des bombes tombent à cet instant sur Sarajevo. Je n'arrive pas à concilier tout ça. Ce monde va demeurer un mystère. Dieu va demeurer un souvenir. Antonia s'écarte et prend son jean. Elle sort un petit bout de papier d'aluminium d'une poche. Elle a un sourire légèrement dément, qui me projette dans la chambre de Célestine. La première fois qu'on a fait l'amour après avoir pris de l'ecstasy.

Antonia ouvre le papier d'aluminium afin de révéler son contenu. Une poudre vitreuse. Je lui demande ce que c'est. Elle dit « Crystal meth ». Elle connaît le chimiste. J'en ai entendu parler. Ça me fait peur. Je lui dis que je n'en veux pas. Elle glisse sa main le long de ma jambe et attrape mon sexe. « *Con eso, podremos chingar toda la noche.* »

Rafaela me lèche comme si j'étais un popsicle et hoche la tête. Je me vois hocher la tête aussi et prendre la ligne qui m'est offerte. Soudain il y a une tornade dans ma cervelle. Chaque cellule de mon corps vibre comme jamais. Le centre de ma vie prend vie comme jamais. Rafaela et Antonia sniffent leurs lignes. Je plonge ma langue dans le cul d'Antonia. Rafaela s'occupe de moi comme si c'était la fin du monde. Je cherche une capote dans mon pantalon. Antonia me tire vers elle et susurre « *No necesito* ». Je l'embrasse et la prépare avec mes doigts avant de me glisser en elle. Rafaela se met dans une position lui permettant de se donner du plaisir en même temps qu'à Antonia. Nous semblons tous trouver le même rythme *jungle* dans nos esprits et le suivons pendant des heures, avant de partager un orgasme qui nous fend l'âme. Le nirvana au cube.

57

Milieu de la matinée. J'erre dans les rues de México. J'ai peur. J'ai peur de trop aimer la drogue que j'ai prise. J'ai peur qu'elle devienne un substitut à la quête que je dois mener, sans savoir tout à fait à quoi celle-ci doit ressembler. Mon centre du monde est à vif. Je ne serais pas surpris d'y trouver des lésions. J'essaie de me rappeler combien de temps je dois attendre avant de me faire tester quand j'entre presque en collision avec un jeune homme portant une petite queue de cheval derrière sa tête rasée.

— *Sorry.*

— *That's okay. You look concerned about something.*

— *I am.*

— Quoi ?

— Disons que j'ai fait des choses que j'aurais pas dû faire la nuit dernière.

— Tu as laissé le désir courir trop vite pour que tu puisses le rattraper.

— Précisément.

— D'où tu viens ?

— Canada.

— Vraiment ? Où ?

— Montréal.

— Moi, je suis de Whistler.

— Qu'est-ce que tu fous à México, toi ?

— On est seulement ici une journée. On va à Oaxaca rencontrer les Yaquis.

— On ?

— Je fais partie d'un groupe de moines. On est venus ici pour rencontrer les Yaquis et parler avec eux de spiritualité. Nos croyances sont similaires. Ça date peut-être d'avant la traversée du détroit de Béring.

— Combien vous êtes ?

— Six. On a une van.

— Vous êtes quel genre de moines ?

— Hare Krishna.

— Cool. Vous prenez de la drogue ?

— Avant de devenir moine, il y a plus d'un an, j'étais constamment gelé. Là, je suis totalement *clean*.

— Hé, si je contribue aux frais, est-ce que je peux venir avec vous à Oaxaca ? J'ai besoin de sortir de cette ville.

— Sois le bienvenu. Nous accepterons ta contribution avec joie.

— Vous partez quand ?

— Dans deux heures.

— D'où ?

— Palacio de Bellas Artes. Tu sais où c'est ?

— Juste à côté de mon hôtel. Elle est de quelle couleur, votre van ?

— Verte. C'est une van Ford verte.

— OK, je serai là.

— On t'attendra.

— Vous aurez pas à le faire.

58

Hotel Dos Naciones. Elles dorment encore, enlacées. Je les ai au moins aidées à se trouver. J'espère qu'elles vont survivre. Je t'aime, Rafaela. J'espère que tu vas comprendre. Je prépare silencieusement ma valise, en pensant à toutes les fois où j'ai tout fait foirer en succombant à mes multiples faiblesses. Je suis à des lieues et des lieues de la rédemption. Par ce petit pèlerinage vers le sud avec les chanteurs officiels de tous les aéroports du monde, je tente seulement de colmater les brèches.

Une fois dans la rue, je m'allume une cigarette et j'appelle Federico.

— *La Panaderia.*

— Federico ?

— *Sí.*

— C'est Antoine.

— Hé, qu'est-ce qui se passe ?

— *Things are pretty fucked up.* Je pars à Oaxaca avec des moines.

— Sérieux ?

— Faut que je quitte México.

— Qu'est-ce qui t'arrive ? Les mariachis te poursuivent ?

— Non, c'est pire. C'est moi qui me poursuis.

— Tu me tiens au courant ?

— Absolument, *amigo* !

— Quand tu seras à Oaxaca, va voir le Musée Rufino Tamayo.

— Il est de là ?

— Oui.

— *Fuck, I'm gonna miss you.*

— Dis-moi où tu seras et j'irai te voir. Après, nous irons vers le sud. Tu pourras te rendre utile pour la cause, te battre pour la terre et la liberté en utilisant tes trucs fous d'aïkido ou peu importe.

— Je serai peut-être prêt à me joindre aux *zapatistas*, après un petit moment de sobriété.

— *¡Buen viaje!*

— *Gracias.*

— *¡ Vaya con Dios, my darling!*

— *Let's keep Him the fuck out of this!*

— *See ya, sunshine!*

Il me reste un peu de temps à tuer, alors je me promène dans le parc Alameda. Je m'arrête à un kiosque à journaux, achète le *Mexico City Times* et apprends que d'autres hommes gais ont été tués à Tuxtla Gutiérrez. Le compte atteint maintenant vingt-cinq.

Le soleil est rêveur aujourd'hui, flottant au milieu du ciel mutilé par la pollution. Quelque chose demeure collé à mon cortex. Un songe distant et sec rempli de tombes improvisées dans le désert et d'anges menant d'épiques batailles contre des oiseaux noirs géants. *La Paloma negra.* L'odeur de salsa et de citron est encore présente dans mes narines. L'impression persiste d'avoir été arraché à un chaud paradis charnel. Un banc m'appelle. Je m'y assois, reste immobile comme une pierre et laisse l'air de l'avant-midi tournoyer autour de moi et les mouvements d'enfants qui jouent apaiser ma peau fiévreuse.

59

Oaxaca. Je tente de ne pas remarquer la multitude de femmes et d'enfants qui tentent de me vendre des couvertures, des bibelots ou de la gomme Chiclets.

Je viens de m'enregistrer à l'hôtel, dans la rue Independencia. Toutes les conversations sur la spiritualité, dans la fourgonnette, se sont déroulées sans moi. Je dormais comme un naufragé ayant dû lutter vague après vague avant d'échouer sur l'île de l'Expiation.

À notre arrivée, j'ai remercié les moines, leur ai donné trois cents pesos et les ai informés du nom de mon hôtel, au cas où ils voudraient me revoir une fois revenus en ville. Je m'arrête dans un café qui s'appelle Maria, choisis une table sous les arcades. J'ouvre mon sac, y prends des cartes postales achetées la veille et me mets à écrire. J'écris à Kazuo, à mes amis d'enfance Paul et Craig, à Léo (à son adresse new-yorkaise), au Pape, au dalaï-lama, à la reine d'Angleterre, au roi d'Espagne, à William Burroughs, Allen Ginsberg et Leonard Cohen ; j'écris à mon père, à Lou Reed, Milan

Kundera, Boris Eltsine, Salman Rushdie, Benjamin Cole, Little Richard, mère Teresa et je m'écris, à moi.

Cher Kazuo,

Encore au Mexique. Oaxaca maintenant. Je tente de naviguer dans une mer de merde. J'espère que tout va bien au Japon. J'espère que tu as vu les jardins que tu avais besoin de voir. Il y a trop d'oiseaux ici.

Antoine

Paul,

Je pense souvent à ce morceau que tu m'as fait écouter lors de ma dernière visite au Vermont. Je crois que tu devrais y ajouter du violoncelle et possiblement des kettle drums. Dis bonjour à la sœur de ton coloc pour moi.

Antoine

Craig,

What the fuck are you still doing in Montreal? Do something! Anything! Move to Bosnia! Become a heroin addict or a fashion model, or both! Stop sleeping for a month! Get in touch with me and give me an idea, any idea!

Antoine

P.S. I'd be willing to go to Iceland now.

Léo,

Fucking imbécile ! J'espère que tu ne lis pas ceci en prison. Dis-moi, combien de chances on me donne pour trouver ma voie ?

Antoine

JP2,

Va donc te faire foutre ! Espèce de crosseur de Cracovie ! La vraie vie n'a rien à voir avec ce que tu fucking pontifies !

Antoine Bourque

P.S. Tu peux m'excommunier tant que tu voudras. Je suis déjà au-dessus de tout ça.

Your Holiness The Dalai Lama of Tibet,

If I send it to you, could you fix my watch for me ? I would greatly appreciate it and buy a Beastie Boys record in your honor.

Antoine Bourque

Your Royal Highness Queen Elizabeth II,

When will Edward be queen ?

Antoine Bourque

Votre Altesse Royale Juan Carlos d'Espagne,

Liberté pour les Basques ! Liberté pour les Basques ! ¡ Tierra y libertad !

Antoine Bourque

Dear Mr. Burroughs,
Mexico City misses you.
Antoine Bourque

Dear Mr. Ginsberg,
You are a groundbreaking poet and literary figure but PLEASE no more naked pictures!
Antoine Bourque

Dear L. Cohen,
Get the fuck off that mountain and write another novel, goddamnit!
Sincerely,
A. Bourque

Dear Dad,
Mexico is great. Lucrative opportunities abound! Just need a bit more money. Thanks in advance.
Your dutiful son,
Antoine

Dear Mr. Reed,
Get a fucking haircut!
Antoine Bourque

Dear Mr. Kundera,
What the fuck's so funny?
Antoine Bourque

Dear Mr. Yeltsin,

In order to lift the spirit of your battered and beleaguered nation, may I suggest a liposuction auction?

Antoine Bourque

Dear Mr. Rushdie,

Could you recommend a good place to hide?

A. B.

Dear Mr. Cole,

I suggest you write to mister Rushdie and follow his advice to the letter.

Antoine Bourque

Dear Little Richard,

You can come out now.

Antoine Bourque

Chère mère Teresa,

J'ai oublié ce que je voulais vous demander. J'espère que vous apprécierez tout de même cette carte postale.

Antoine Bourque

Dear me,

Wake up you stupid fuck!

Me

60

J'ai douze ans. Je suis Craig le long d'un corridor d'hôpital. Un parfum de solennité flotte autour de nous. Je tente de me concentrer sur ses tennis, sur ses lacets qui font une petite danse maladroite sur le plancher trop propre. Je voudrais tellement qu'il se mette à courir. Je voudrais tellement le suivre en courant jusqu'à la sortie de l'hôpital, dans le parking où nous pourrions faire éclater un million de pare-brise avec des cailloux multicolores propulsés par des lance-pierres rudimentaires. Mais tout ce que nous pouvons faire, c'est marcher. Au rythme de la perte. Le corps de Craig est amorphe, son regard, vide. Nos cœurs bougent à peine. Nos vies veulent reculer, jusqu'au cocon sans souci de l'enfance.

61

J'ai quinze ans. Je suis dans une cathédrale, en train de prier pour vrai. Les notes d'une *Nocturne* de Chopin montent en spirale autour de mes prières. Je demande à Dieu de bien s'occuper de ma mère pendant son voyage au Portugal, où elle est allée voir des cathédrales, justement. Mes prières restent sans réponse. Tout change.

62

J'ai dix-huit ans. Je suis à Vancouver. Je m'y suis rendu en faisant du stop. Je sautille dans un bar de la rue Granville. Mark E. Smith, de The Fall, crache ses historiettes caustiques. Quelqu'un derrière moi m'a aspergé de quelque chose. Je me dis que ce n'est que de la bière et poursuis ma danse. C'est de l'essence à briquet et mon gaminet est en feu. Je l'arrache de mon corps, le piétine, me retourne. Je vois dans la flamme d'un briquet un sourire juste assez croche. Son détenteur a une tête rasée et est plutôt baraqué.

Je m'avance, commence par lui cracher dessus avant de lui prendre la gorge avec ma main droite et de le plaquer au sol. Je lui monte dessus, serrant de plus en plus fort de ma main droite, alors que ma gauche saccage son visage de pyromane repentant en suivant la cadence de la musique frénétique. Lorsque les videurs s'emparent de moi et me soulèvent, je lui donne trois coups de pied rapides au visage afin de m'assurer qu'il restera au sol. Il est ensanglanté, brisé. Je tente de lui cracher au visage une dernière fois, mais je manque de visou et atteins seulement son épaule. C'est ce que je regrette le plus de mes dix-huit ans.

63

J'ai vingt et un ans. Je lis un poème de Fernando Pessoa dans la librairie City Lights, à San Francisco. J'imagine la lumière de Lisbonne réfléchie dans les cheveux noirs et fins de ma mère alors qu'elle sort d'un petit café dans l'Alfama. J'imagine les guides de voyage qu'elle traîne dans son sac. J'entends sa douce voix chantonnant un hymne à moitié oublié. Il pleut. Il fait froid. Je dépose mon livre et marche dans la nuit avec le seul souvenir d'une voix pour me réchauffer.

64

J'ai neuf ans. La lune est pleine au-dessus de la baie des Chaleurs. Je cours avec mon ami Paul le long de la plage. Nous sommes poursuivis par un garçon plus âgé. Nous avons crevé l'un des pneus de son véhicule tout-terrain. Il était en train de ruiner la plage en faisant de grosses traces partout. Nous avons décidé de devenir de petits justiciers et apparemment cela causera notre mort.

Le visage de Paul est rouge tomate. Ses pieds nus vont faire long feu avec tous ces cailloux et ces petites branches sur la plage. Moi, je porte des tennis. Nous descendons vers la mer, les pieds dans l'eau. Mon instinct me dit de plonger. Je le signale à Paul. Nous nageons aussi loin que possible. Le grand garçon patauge dans l'eau jusqu'à la taille mais ne plonge pas. Il ne fait que nous lancer un regard furieux dans la lumière argentée du clair de lune. Nous sommes défiants, excités. Nous avons gagné. *The fucker can't swim!* Comment je le savais ?

65

J'ai vingt-deux ans. J'embrasse Célestine derrière une pierre tombale dans le cimetière de la Côte-des-Neiges. Elle a eu le résultat de son test pour le VIH il y a une semaine. Nous nous sommes tellement disputés avant qu'elle passe l'examen. Le résultat est négatif. Nous sommes toujours dans la vague d'euphorie qu'a soulevée la nouvelle. C'est le printemps à Montréal et j'embrasse la plus belle fille du monde dans un cimetière. Elle a un peu plus que l'âge que j'avais quand ma mère a disparu. Elle est précisément ce dont j'aurais eu besoin cette année-là. Toute bonne chose ayant une fin, elle suspend le baiser.

— Qu'est-ce que tu veux faire ce soir ?

— Je sais pas. Toi ?

— On vole quelque chose.

— Bonne idée. On pourrait retourner dans cette galerie où on est allés aujourd'hui. Comment elle s'appelait ?

— Dominion.

— C'est ça. Il y avait une chaîne d'épiceries qui s'appelait comme ça en Acadie.

— Fascinant.

— Fuck you ! Anyway, on retourne à la galerie, on prend la grande toile de Gottlieb qui nous a tant fait sautiller, on se fait arrêter, toi tu risques rien, étant mineure, mais moi, je vais en prison où je me fais violer constamment, attrape le sida mais n'en meurs pas. Je meurs d'un cœur brisé parce que je te revois plus jamais.

— T'es tellement chou ! Tu serais prêt à mourir pour moi ?

— Bien sûr. Mais me demande pas de le faire.

— Pourquoi je ferais ça ?

— Pour avoir la preuve par excellence de mon amour.

— Pas besoin. Tu me montres que tu m'aimes chaque jour.

— Comment ?

— En me baisant.

— Je te le montre d'autres façons, quand même…

— Ah, comment ?

— Je t'embrasse, te caresse, t'étreins, te raconte tous mes secrets. Je t'écoute me raconter les tiens…

— Comment tu sais que je te raconte mes secrets ?

— Ben je… Il y a des choses que tu me dis pas ?

— Bien sûr.

— Tu… tu me mens ?

— Pas vraiment.

— *What the fuck does that mean ?*

— Tu sais, parfois il y a des choses que tu pourrais pas comprendre, donc je te… protège.

— Des choses que je pourrais pas comprendre ? T'as fucking seize ans ! Qu'est-ce que tu aurais pu vivre que je pourrais pas comprendre ?

— Pourquoi tu me parles toujours de mon âge comme si c'était un handicap ou quelque chose ? T'es plus vieux mais t'as pas plus d'expérience du monde que moi ! T'es allé à Rome ou Venise ou Amsterdam ou Paris ou Berlin ?

— Pas exactement, non.

— Ben moi, j'y suis allée et j'ai vu des choses que tu verras jamais parce que tu pourras jamais voir les choses comme je les vois. Personne peut. *So shut the fuck up and kiss me like you're supposed to !*

Je m'exécute. Je la serre aussi fort que possible, mais elle me semble aussi lointaine que le désert de Gobi.

— Qu'est-ce qu'il y a ?

— Je sais pas. Tu me sembles tellement loin.

— Je suis là.

— Non. Quelque chose ne va pas.

— Est-ce que tu vas en avoir assez de moi un jour ?

— Quoi ?

— Ça fait, fuck, je sais pas, trois mois qu'on est ensemble et…

— Et quoi ?

— Avant moi, t'as couché avec plein d'autres filles…

— T'as couché avec d'autres avant moi aussi.

— Moins que toi.

— Fuck, pas encore ça !

— C'est juste, je me demande toujours si c'est assez pour toi, juste une fille. Si moi, je suis assez pour toi.

— Tu sais que je veux aucune autre fille. Ça va sonner cucul, mais t'es tout ce que j'ai toujours cherché.

— Mais je te vois toujours regarder d'autres filles. Dans des cafés ou ailleurs. Des fois, j'ai l'impression que tu le fais exprès pour me faire chier.

— Des fois, oui. Parce que je trouve ça ridicule d'être jalouse comme tu l'es. Parfois, c'est juste de l'appréciation esthétique. Regarder juste pour être dans la beauté. Tu penses pas que c'est possible pour quelqu'un de faire ça ?

— Quelqu'un oui, mais pas toi.

— Pourquoi pas moi ?

— Parce que tout passe par le sexe pour toi. Tu écris même au lit.

— Proust le faisait aussi.

— Oui, mais je parie que Proust se touchait pas en le faisant.

— Moi non plus.

— Non, tu me demandes de le faire pour toi.

— J'aime mélanger le charnel et le cérébral. Y a pas de mal à ça.

— Y a pas de mal. C'est juste un peu bizarre. Comme la fois où tu m'as demandé de te lire des poèmes de cette poète lesbienne pendant que tu me mangeais. Comment elle s'appelle déjà ?

— Nicole Brossard. J'aime quand le sexe a plusieurs couches de sens.

— Ça peut être bien, mais des fois j'aimerais que ça ait juste un sens.

— Quoi ?

— Je t'aime, tu m'aimes.

— Je te l'ai pas démontré, ça ?

— Pas assez.

— Qu'est-ce que je peux faire de plus ?

Célestine regarde un oiseau noir, se mord la lèvre.

— Sois juste honnête avec moi. Arrête de me mentir.

— Mais t'es tellement sensible ! Chaque fois que je te dis la vérité, je te fais mal. T'es tellement jalouse, t'es toujours en train de me piéger. Comme hier, tu me montres un emballage de parfum avec la photo d'une fille et tu me demandes si je la trouve cute, comme si de rien n'était, je dis oui spontanément et tu fais une moue, en sachant très bien que ça m'allume autant que ça me fait chier, et on était en public, alors je pouvais pas trop te consoler parce que j'aime pas montrer trop d'affection en public.

— Pourquoi ?

— Parce que t'es pas mal plus jeune que moi et donc c'est moi qui ai l'air d'un pervers qui devrait être castré chimiquement, alors qu'en réalité t'es bien plus pervertie que moi.

— Qu'est-ce qui fait que je suis pervertie ?

— Ton truc avec les pieds.

— Mais les pieds sont tellement cool ! Ils nous mènent où on veut aller.

— C'est pas une raison pour vouloir les mettre dans tous tes orifices.

— Je croyais que tu adorais quand je te suce les orteils.

— Ça oui. Le reste, pas sûr.

— On parle d'autre chose.

— Quoi ?

— Pourquoi on part pas ?

— Où ?

— Je sais pas. Tu irais où, toi ?

— N'importe où. Sauf l'Islande.

— Pourquoi pas l'Islande ?

— Trop froid.

— Pourquoi pas l'Afrique ? Le désert.

— Pour devenir marchands d'armes, comme Rimbaud ?

— Pourquoi pas ?

— On peut pas.

— Pourquoi ?

— On n'est pas qualifiés.

— Pourquoi ?

— On n'a rien écrit de brillant.

— On pourrait le faire là-bas.

— Comme Paul Bowles ?

— Comme Paul Bowles, au Maroc.

— Comment tu vas faire pour sortir du pays sans consentement parental ?

— On peut soudoyer quelqu'un.

— Avec quel argent ?

— Tu t'en occuperas.
— *You know how fucking broke I am.*
— Pas ton argent. Celui de quelqu'un d'autre.
— *What the fuck are you talking about?*
— *You'd steal for me, wouldn't you?*

66

J'ai treize ans. Paul et moi sommes assis sur la plage. Nous nous soûlons à la bière Alpine. Nous avons payé un ivrogne pour nous en acheter à la Commission des liqueurs, comme de coutume. Nous jouons au jeu de la descente. Le gagnant sera celui qui descendra le plus de bières sans s'arrêter. Je gagne en utilisant ma technique à moi : je me couche et verse une bouteille après l'autre dans ma gorge sans laisser le goulot toucher mes lèvres. Je me rends jusqu'à cinq (Paul en a bu quatre) et vomis sur mon ami. Nous avons mangé de la pizza plus tôt et un champignon entier atterrit sur sa tête. Il veut vraiment me frapper mais se retient, sachant que ce n'était pas voulu. Nous nous mettons à rire comme seuls deux garçons ivres de treize ans peuvent le faire, jusqu'à ce que nous apercevions le légendaire bateau fantôme de la baie des Chaleurs pour la première fois. Nous restons là, béats, jusqu'à l'aube.

67

Le soleil se lève alors que j'entre dans El Paso. Oaxaca était flou. Le reste du Mexique n'est pas beaucoup plus clair. J'ai découvert le pulque et me suis longtemps caché de moi-même. Je me suis finalement réveillé près de Monterrey et ai décidé de monter dans un autobus dont la direction était simplement *norte*. Cette ville ressemble à plein de villes frontalières, remplies de gens à la lisière du désespoir, vivant entre deux mondes. Je vais prendre un autre autobus ici. Direction New York. J'espère arriver à temps. J'espère que Léo aura été freiné dans ses ardeurs par toutes les images qu'il doit accumuler pour nourrir ses œuvres.

68

J'ai dormi pendant presque tout le trajet entre El Paso et New York. Je marche dans Chelsea, en route vers la Benjamin Cole Gallery. Je ne sais pas encore ce que je vais dire au galeriste ou même comment je vais réussir à passer la muraille de ses sans doute jolies jeunes assistantes afin de m'entretenir avec lui. Je crois que je fais ce que je dois faire. Je tente de sauver une vie. Je suis déjà passé par l'atelier de Léo, mais il ne semblait pas y être. Il s'est peut-être perdu dans le Texas de Robert Rauschenberg, fasciné comme il est par les couches et les strates. Il aime tellement cet État. Il adore l'immensité des personnes qui y habitent, ce buffet ambulant de Botero.

69

Benjamin Cole Gallery. Il y a une exposition d'un peintre islandais qui s'appelle Gunnar Gustavson. De grandes abstractions en rouge et blanc très texturées, luminescentes. J'aime ces peintures. De la neige glacée avec du sang qui perce un peu la croûte. Elles me rappellent les batailles d'enfance au milieu de l'hiver où un garçon finit inévitablement avec un nez ensanglanté qui déborde et vient donner un peu de relief au blanc immaculé sous nos pieds.

Le nez de Craig qui pisse le sang après avoir été roué de coups par ce garçon qui s'appelait McInnis. Peter ? Je ne sais plus. Je me souviens qu'il était plutôt costaud et avait les cheveux blonds. Craig a toujours été chétif, mais il s'est battu jusqu'au bout, jusqu'au moment où il est tombé face la première dans le blanc. J'ai fini par venger Craig. J'ai frappé McInnis tellement fort qu'il ne s'en est plus jamais pris à mon ami.

C'était la première fois que je laissais la rage qui m'habite s'emparer complètement de moi. J'ai entendu dire qu'il est en prison maintenant, pour un homicide involontaire commis pendant un vol dans une station-service, au milieu de l'hiver. Il a battu un homme à mort et vit désormais dans la prison de Renous. C'est un ami d'enfance devenu gardien de prison qui m'en a informé.

La plupart des garçons que j'ai connus à l'école sont devenus soit policiers, soit criminels. Je fais partie des chanceux qui ont réussi à s'évader. Je porte encore en moi la violence inhérente au lieu qui m'a vu naître, mais heureusement, elle ne s'éveille que très rarement.

Je demande à la fille à l'accueil s'il serait possible de voir monsieur Cole. Il sera là demain. Puis-je prendre rendez-vous ? Absolument. Ce sera le lendemain à 14 h. Je quitte la galerie avec une folle envie de m'enfoncer au plus profond des entrailles de la ville et de n'en plus jamais resurgir. Après quelques heures à errer sans but dans le métro, je retourne dans ma chambre d'hôtel et écris jusqu'aux aurores des poèmes qui parlent du creux de l'hiver.

70

Benjamin Cole Gallery. Bureau du galeriste. Je tente de convaincre cet homme sympathique et pas du tout prétentieux qu'il y a un réel danger, que l'un de ses artistes a l'intention de le tuer.

— Les artistes disent ce genre de choses sans arrêt, Antoine. Je peux vous appeler Antoine ?

— Bien sûr.

— Vous connaissez bien Léo. Il a tendance à s'emporter un peu, de temps en temps. Il ne faut pas le prendre trop au sérieux.

— Je crois qu'il est décidé et dangereux.

— Pourquoi exactement veut-il mettre fin à ma vie ?

— Mauvais feng shui.

— C'est génial ! C'est la meilleure raison qu'il m'ait été donné d'entendre pour vouloir tuer son galeriste.

— Il vous a contacté récemment ?

— Pas depuis un moment, non.

— La dernière fois que je l'ai vu, il se dirigeait vers vous depuis le Mexique. Il m'a demandé de l'aider, j'ai refusé, il m'a laissé en plein milieu de la Sierra Madre.

— Il vous a dit comment il comptait le faire ?

— Non, mais je suis certain qu'il trouvera un moyen original.

— J'apprécie énormément que vous soyez venu jusqu'ici pour me faire part de vos craintes, mais je ne crois pas qu'il y ait de réelle raison de s'inquiéter. Vous logez où ?

— Un petit hôtel dans Chelsea.

— Vous voulez rester en ville un peu ?

— Peut-être.

— Je garde un appartement pour des amis et des connaissances de passage. Vous écrivez, n'est-ce pas ?

— Oui. De la poésie.

— Donc vous devriez vous y installer. Je ne sais pas comment ça se passe au Canada, mais ici, les poètes ne se logent pas facilement. Vous verrez, c'est un lieu très inspirant.

— Je peux pas accepter, monsieur Cole. C'est trop.

— Vous pouvez, je vous l'assure. Vous m'avez possiblement sauvé la vie, après tout. Voici les clés. L'adresse est inscrite sur cette carte. Allez écrire. Ça vous fera du bien.

71

C'est moi que Léo tuera s'il apprend que j'ai accepté l'offre de Cole et que je loge dans son fabuleux loft de Soho. La lumière y est parfaite. Je saurai écrire ici. Sans aucun doute. Je suis là depuis trois jours et je ne suis même pas sorti une fois. Ma mère aurait adoré ce lieu calme et lumineux. Dommage que je ne sois pas peintre. Je ferais du bon travail ici. Je plongerais dans le bleu, comme l'ami dont Kazuo me parle souvent. Je dois trouver quoi faire, maintenant. Je dois tenter de trouver Léo. J'irai voir à son atelier, plus tard.

72

Ma vie juste avant Célestine. Autobus 80. Je descends l'avenue du Parc. J'ai vingt-deux ans. Je vais trouver mon ami Craig, qui me doit vingt dollars. J'utiliserai cet argent pour des cigarettes, du café et peut-être pour aller boire dans un bar du boulevard Saint-Laurent. Il est 15 h. L'autobus est rempli de gens parlant des langues que j'aimerais bien comprendre.

Mes paupières croulent encore sous le poids du sommeil. Des images de mon dernier rêve flottent entre mes oreilles. C'est encore lié à l'enfance. J'ai douze ans et je joue à Twister dans le sous-sol avec des cousins. L'un des plus petits entre dans la pièce et nous asperge avec un pistolet à eau. Nos parents sont absents, donc nous décidons de lui faire avaler de force le contenu d'une boîte de bouffe pour chiens de marque Dr. Ballard's. Il est végétarien aujourd'hui.

Craig était avec nous, ce jour-là. C'était peu de temps après la mort de sa mère. Cancer du sein. Je me rappelle les visites à l'hôpital. Elle était devenue soudain si vieille, si maigre. La maladie avait ravagé cette femme sublime, sucé la joie de ses joues. Ses yeux étaient toujours aussi vivants. Ils brillaient dans la lumière qui rampait sur son corps, depuis la fenêtre, alors qu'elle souriait de toutes ses forces pour Craig.

73

Un gros Grec marche sur mon pied et je me rends compte que c'est mon arrêt. Station Place-des-Arts. Alors que je descends, le chauffeur me lance un regard qui me paraît agressif.

Je marche jusqu'à la rue Sainte-Catherine. Quand j'aperçois Sam the Record Man, j'y entre pour voir s'ils ont le nouveau disque de Tom Waits. Ils l'ont, effectivement, mais moi je me souviens que je n'ai pas d'argent. À nouveau dans la rue, je marche vers l'est, vers chez Craig. Tellement besoin de pisser. Je décide d'attendre d'être arrivé. Un skinhead me demande de l'argent juste après les Foufounes. Je veux l'envoyer promener, mais je remarque qu'il a quelques amis assis sur les blocs de ciment derrière lui. Je ne dis rien. Je ne fais que hausser les épaules.

Je me souviens de la fois où William Burroughs a exposé ses œuvres de shotgun art aux Foufounes électriques. « *You never know what you're gonna get* », disait-il. Il mettait une grande planche de contreplaqué contre un mur, plaçait un contenant de peinture à quelques mètres, chargeait sa carabine de calibre 12 et appuyait sur la détente. Ou plutôt la serrait doucement – il était Texan, il devait savoir se servir d'une arme à feu. Sa défunte femme en sait quelque chose.

Je tourne sur Saint-Laurent, monte jusqu'à Ontario, sonne chez Craig. Ma vessie veut exploser comme un contenant de peinture visé par le grand Beat. Craig répond, sa voix aussi aride que l'atmosphère d'un roman de Paul Bowles.

— Ouais ?

— Craig ! Ouvre la porte. Je dois fucking pisser.

— Quoi ? Qui c'est ?

— Craig, c'est moi. Pousse l'ostie d'bouton. Le petit bouton vert à gauche ! Dépêche-toi !

— Antoine ? C'est toi ?

— Évidemment que c'est moi ! Faut que j'pisse !

— Bon, bon, tiens.

Il appuie sur le bouton et je monte les trois étages à toute vitesse, le contourne alors qu'il ouvre la porte et me rends jusqu'aux toilettes.

— T'avais vraiment besoin d'y aller, hein ?

— Ben oui ! Tu viens de te lever, ou quoi ?

— Une demi-heure.

— Qu'est-ce t'as fait hier soir ?

— Je sais pas trop. Je pense que j'ai regardé un film.

— Quoi ?

— Quoi ?

— Quel film ?

— *Eraserhead.*

— En voilà un qui te ressemble…

— Je… Peut-être.

— T'as pas eu d'appels ?

— Non.

— T'as travaillé sur quelque chose ?

— Comme quoi ?

— Je sais pas, l'école, des chansons. Ostie que j'mangerais de la tarte fraises-rhubarbe…

— Quoi ?

— Rien. T'as rien fait d'autre ?

— J'ai… appris une chanson de Cohen.

Le son de l'urine heurtant l'eau s'arrête. Je me la remue, sors des toilettes et m'installe sur le vieux sofa en vinyle brun. Ça sent vaguement le vomi. Craig est assis au sol, sa Martin usée dans les bras. Ses cheveux fous et son pyjama rayé lui donnent l'allure d'un prisonnier électrocuté dans un vieux film. Il fait craquer ses doigts et se lance dans *Who by Fire*. Après mon dernier rêve, il fallait bien qu'il choisisse une chanson qui énumère différentes manières de mourir. Quand il plaque les derniers accords, j'ai l'impression d'avoir devant moi un petit chiot pathétique. Le moment est tellement bien choisi pour lui demander mon argent. Merci de me faire sentir comme une merde, ami. Craig ouvre la bouche et parle.

— Pis, c'est quoi le plan ?

— Je sais pas.

— Pas d'idées ?

— *Whatever.*

— *Whatever* quoi ?

— *Whatever* que toi tu veux faire.

— OK, hum, on pourrait… aller au centre-ville… traîner.

— Trop froid.

— Acheter de la bière et rester ici.

— Pas d'argent. T'as des *smokes* ?

— J'te dois de l'argent. Y en a sur la toilette.

— Mon argent est sur la toilette ?

— Non… les cigarettes.

— Pourquoi ?

— J'en ai besoin pour chier. J'ai des crampes dernièrement.

— Grave ?

— Vraiment.

— J'ai fait un rêve.

— Félicitations.

— Non… t'étais dedans.

— Tu m'enculais pas, j'espère.

— Non ! C'était quand on avait douze ans.

— Et ?

— Quand on est allés voir ta mère à…

— Elle a dit quelque chose ?

— Dit ? Ta mère ?

— Oui. Elle a dit quelque chose de différent de ce qu'elle avait dit ce jour-là à l'hôpital ?

— Comme quoi ?

— Je sais pas. Quoi faire ?

— Quoi faire avec quoi ?

— Ma vie.

— Tu penses pas…

— Non, j'vais pas me suicider. C'est juste que… y a pas grand-chose qui se passe.

— Je sais. On devrait peut-être aller quelque part.

— Où ?

— En Islande.

— Pourquoi ?

— Björk.

— Qui ?

— La fille des Sugarcubes.

— Ah. J'pense pas que t'aimerais ça.

— Pourquoi ?

— Trop froid.

— Ça va, toi ?

— Ouais.

Je me lève, vais chercher les quatre cigarettes qui se trouvent sur la toilette. J'en donne deux à Craig et en garde deux pour moi. Il en met une dans sa bouche et l'autre dans la poche de son pyjama. Il va dans sa chambre, en revient avec un briquet et me tend un billet de vingt dollars. Il me demande ce que j'ai envie d'écouter. Je lui dis que ça m'est égal. Il commence le processus d'excavation de ses cassettes et sourit lorsqu'il trouve celle qu'il cherchait. *Daydream Nation*. Du bon vieux Sonic Youth.

Je pense aux skins de la rue Sainte-Catherine. Je me dis que souvent j'aimerais avoir un revolver. Craig a les yeux fermés, il berce son corps maigre en tirant sur sa cigarette. Je n'arrive pas à deviner à quoi il pense. Son visage est impassible. Il semble plus pâle que d'habitude.

*

Je n'arrive pas à prendre de plaisir, ni de la musique ni de la nicotine. L'odeur du sofa commence à m'agacer. Je vais à la fenêtre. Deux gars en manteaux de cuir marchent dans la rue. Le plus petit des deux pousse l'autre vers la circulation et une Honda bleue contourne celui-ci juste à temps. Le plus grand charge le petit et le flanque contre le building. Il sacre et lui envoie un coup de genou au ventre, puis son poing à la figure.

Je me retourne pour appeler Craig à la fenêtre. Il n'est plus là. Je l'entends dans la cuisine. Fuck it. Il n'a pas besoin d'entendre parler de violence. Je m'éloigne de la fenêtre sans regarder dehors. J'aperçois des livres ouverts face au sol, à côté du téléviseur. Joyce, Borges, Kundera, Fuentes, Lowry, Cohen. Je décide de lire à voix haute un extrait de chacun. D'abord *A Portrait of the Artist as a Young Man*: «*Suddenly he became aware of something in the doorway. A skull appeared in the gloom of the doorway.*» Craig sort la tête de la cuisine et retourne aussitôt faire ce qu'il y faisait.

Après, Ficciones. Je ne connais pas l'espagnol, mais j'essaie quand même: «*Tres mil hombres pelean: bastón contra revólver, obscenidad contra imprecación,*

Dios el Indivisible contra los Dioses. » Quelque chose à propos de dieux et de fusils, je crois.

The Book of Laughter and Forgetting: « *The girl took charge of him with enterprising ardor, but his eyes continued to wander to the other side of the room, where the bald man's penis was in Barbara's hands.* » Une image de Barbara Bush branlant Danny DeVito s'insinue dans mon esprit.

OK, next! *Cumpleaños*: « *Happy birthday to you. Happy birthday to you. Happy birthday dear Georgie. Happy birthday to you.* » Fuck! Tout le livre est en espagnol à part ça. Faut que je me sorte Bush de la tête. L'élection est terminée.

Under the Volcano: « *Somebody threw a dead dog after him down the ravine.* » Dernière phrase. Quelle belle façon de finir un roman.

Bon, ça commence à m'ennuyer. Un dernier. *Beautiful Losers*: « *The whole assault lasted maybe twenty-five minutes. Before the tenth minute passed she was begging the thing to perform in her armpits, specifying which nipple was the hungriest, twisting her torso to offer it hidden pink terrain – until the Danish vibrator began to command. Then Edith, quite happily, became nothing more than a buffet of juice, flesh, excrement, muscle to serve its appetite.* » C'est déprimant.

Faut que je sorte dans un bar, ce soir. Je laisse tomber le livre et vais dans la cuisine pour voir ce que Craig fabrique. Il est couché sur le plancher, les yeux fermés, sa main droite à l'intérieur de son bas de pyjama, sa main gauche tenant un morceau de verre cassé. Je m'assois à la table, regarde autour de moi, me relève et ouvre la porte du frigo. Il y a une canette de Molson et ce qui semble être du très vieux fromage.

Craig me dit sans broncher, sans même ouvrir les yeux, que je peux prendre la bière. Je lui dis que j'irai en chercher d'autre plus tard et lui demande à quoi il pense. Il dit seulement: « Au printemps. » Je sais qu'il ment et pense à sa mère. Je veux éviter d'en parler alors je secoue la canette, l'ouvre et l'asperge de bière. Il bondit et pousse la canette dans ma direction, mais il n'en reste pas assez pour réellement m'atteindre. Il me regarde, à moitié fâché, à moitié hilare.

— *Jesus! What the fuck!*

— Tu devenais zombie.

— OK, sache qu'un jour, quand t'auras oublié, j'aurai ma vengeance!

— Tu m'as déjà eu.

— À peine! Moi je suis complètement trempé.

— C'est vrai. T'as besoin d'une douche.

— Ouais… Fuck, y en a partout!

— Va prendre une douche. Je vais nettoyer pis après je te paye un café ou une bière ou quelque chose.

— Où?

— Je sais pas. On pourrait aller quelque part où on n'est jamais allés.

— Cool.

Il traîne sa carcasse de victime de chaise électrique jusqu'à la salle de bain. Je prends la serpillière, la fais tourner et commence à nettoyer. Je me sens un peu coupable, mais je suis incapable de parler de sa mère aujourd'hui. L'idée de la mort ne me va pas très bien, ces derniers temps.

Une fois ma besogne terminée, je m'assois, allume l'autre cigarette. Une vieille chanson de Hüsker Dü prend de la place dans ma tête. Je pense à ce qu'on pourrait faire, où on pourrait aller. Foufounes, La Nausée, Sheewaz, Saint-Sulpice. Ce sont les bars qu'on fréquente le plus. La plupart des autres bars sont remplis de gens qui me donnent envie de tuer. On ira probablement juste prendre un café ou quelque chose.

Je n'arrive plus à regarder la table laide devant moi. Je me lève, me dirige vers la salle de bain, frappe à la porte.

— *Come on*, Craig ! Lave ton cul et viens-t'en. Arrête de jouer avec ta queue.

— Quoi ?

— *Never mind !*

— Quoi ? Je t'entends pas…

— *Fucking hurry up !*

L'eau arrête de couler. Je l'entends tousser, ouvrir le rideau de douche. Je vais vers la chaîne stéréo, allume la radio. Gainsbourg. *Lemon Incest*. Je prends le *Mirror* afin de voir qui joue aux Foufounes ce soir. Suffocation. Malevolent Creation. Epidemic. C'est joyeux. Douze dollars en plus. Beaucoup trop cher pour nous. La porte de la salle de bain s'ouvre et Craig apparaît avec une serviette psychédélique nouée autour de la taille.

— *Jesus, Craig! Move to Somalia!*

— Quoi?

— Ça t'arrive de manger, des fois?

— En masse.

— Qu'est-ce que tu manges?

— Des Mr. Noodles, genre.

— Habille-toi. Je peux pas voir ça.

— Je suis pas si maigre que ça. Regarde, j'ai des muscles.

Il fait fléchir ses bras et gonfle sa poitrine en affichant une expression ridicule digne du plus ridicule des culturistes de ce monde.

— Craig, je veux pas péter ta balloune, mais t'as juste de la peau et des os.

— Je m'habille et j'arrive.

Il va dans sa chambre. Ferme la porte. Je m'installe sur le divan en vinyle qui sent un peu le vomi. Je prends la guitare. Je joue une vieille chanson de Tom Waits. Du moins le début. Je n'arrive pas à me souvenir tout à fait des accords ni des paroles.

*

La mère de Craig lui a dit de l'oublier juste avant de mourir. Elle devait le prendre pour son père. Poursuis ta route, elle disait, poursuis ta route. Quelle route? se demandait Craig. C'est à ce moment-là qu'elle est partie. Le père de Craig était aux toilettes, en train de chier et aussi, probablement, en train de pleurer. Craig n'a jamais pardonné à son père son absence à l'instant fatidique. Craig sort de sa chambre.

— Prêt.

— Tes cheveux sont tout mouillés.

— Pas grave. Je sors toujours comme ça.

— Ça gèle pas ?

— Ouais. J'appelle ça *helmet head*. J'aime ça.

— *Whatever*.

Chaussures. Manteaux. Dehors.

— OK, Craig : *east or west ?*

— À l'ouest et au nord.

— Tu veux marcher sur Saint-Laurent ?

— Ouais.

— J'ai l'impression qu'on est allés partout sur Saint-Laurent déjà.

— Pas plus haut.

— Qu'est-ce qu'il y a là-bas ?

— La Petite Italie, je crois.

— Cool. On va trouver une pizzeria, te faire engraisser un peu.

— On peut s'arrêter dans quelques librairies ?

— Lesquelles ?

— Amériques, Alternatives, Le Dernier mot.

Nous remontons le boulevard. Peu de gens dans la rue. Trop froid. Nous nous taisons une dizaine de minutes. Nous marchons, observons, pensons. Une image de mon chien mort en train de creuser sa propre tombe sur ma plage de la baie des Chaleurs.

— Tu rentres pour Noël ?

— Sais pas. Pas encore parlé à mon père.

— Il rentre en Dominique cette année ? Voir sa mère ?

— Il a dit que non, mais souvent il se décide à la dernière minute.

— On prend le bus ? C'est trop fucking froid pour moi !

— Si tu veux.

Nous attendons coin Saint-Laurent et Mont-Royal. Nous avons oublié d'entrer dans les trois librairies. Je ne le rappelle pas à Craig. Le bus arrive. En montant, je marche sur un pied.

74

À bord d'un train, direction Vermont. Je vais à Plainfield voir mon ami Paul. Il étudie la musique au Goddard College. Je ne l'ai pas vu depuis six mois. Je ne sais pas quoi lui dire. Ma vie est tellement floue.

Je baise Andrea, la petite sœur du colocataire de Paul. Elle panique un peu et me supplie de ne pas en parler à son frère. Ça doit être l'une de ses premières fois. Je viens, me retire et enlève la capote. Elle s'effondre sur le lit. Je fume une cigarette, me dirige ensuite vers la douche. Je crois qu'elle pleure.

Paul et moi marchons sur le campus. Une ancienne ferme. Il me demande ce qui se passe pour moi à Montréal. Il me demande ce que je fais de ma vie. Il me demande ce que je veux en faire. Je ne sais pas quoi répondre.

75

Train. Je rentre. Je lis. Une adolescente en carreauté. Une revue *Spin* rebondissant devant son visage. Je tente d'imaginer à quoi ressemble sa vie, à quoi ressemblent ses amis, à quoi je ressemblais à son âge. Un blanc. Je déteste les trains, parfois. Elle pose sa revue, me regarde comme si elle allait dire quelque chose, se tourne vers la fenêtre. C'est à cet instant précis que je remarque sa grande beauté. Son visage est sans faille. Ses lèvres sont pleines. Ses yeux sont sombres. Ses cheveux châtains tombent parfaitement sur sa figure. Je flotte. Je ne sais pas ce que je lui veux. Juste la regarder. Juste la regarder.

— Je m'appelle Célestine. Tu me donnes une cigarette ?

— Euh, oui. J'ai plus d'allumettes par contre.

— Ça va. J'en ai.

— Je crois pas qu'on puisse fumer ici.

Elle sort des allumettes de son sac, allume sa cigarette. Je lui demande si elle est de Montréal. Oui. Où elle est allée. Bennington College, voir son père qui y enseigne la littérature française. Je regarde par la fenêtre, paralysé. Elle me demande si j'aime Nirvana. Oui. Elle me demande si je les connaissais avant qu'ils soient connus. Je tremble. Je mens en disant que non. Je me lève. Je sue. Je dis que je dois y aller et marche vers les toilettes. Elle est tout sourire. Je veux disparaître.

Les toilettes. Le miroir. Mon visage est trop pâle, mes yeux, cernés. J'aperçois même un cheveu blanc. Qu'est-ce qui m'arrive ? Je suis un gamin. Vingt-deux ans.

Je marche vers mon siège. Un fragment d'une conversation entendue au Cinéma de Paris fait surface dans mon esprit. Une fille de mon âge monte l'escalier. « C'est officiel, Patrick est mort. » Le garçon de la billetterie lève les yeux : « Vraiment ? »

Célestine trace des symboles anarchiques sur la vitre en prenant une dernière bouffée de sa cigarette. Quand je m'assois, elle se tourne brusquement vers moi et me demande à quelle école je vais. Je lui dis que je n'y vais plus. Est-ce que je travaille ? Non. Elle a le regard perplexe. Je lui dis que j'écris. Son visage s'illumine et elle me demande ce que j'ai publié. De la poésie, dis-je. Elle semble penser que c'est cool. Elle se met à énumérer ce qu'elle aime lire. Burroughs, Kerouac, Ginsberg, Genet, Rimbaud. Elle dit qu'elle aimerait me lire. Je lui dis que je lui donnerai un exemplaire de mon recueil.

Dehors, le centre-ville de Montréal s'illumine. Célestine me regarde droit dans les yeux et me demande si j'ai des plans en arrivant. Je dis : « Rien de précis. » Elle me demande si j'ai envie d'aller chez elle. Elle sent ma nervosité. Elle sourit en disant que sa mère est en voyage d'affaires. Je veux tellement la prendre dans mes bras que ça me fait mal à un endroit dont j'avais oublié l'existence. Elle me semble si vivante.

76

Chez elle. Grande maison d'Outremont. Elle monte les marches devant moi. Son cul est parfait, d'une rondeur exceptionnelle. Je ferme les yeux. Tourbillons de lumière. Ma mémoire se met en marche et je vois Sabine, son corps de quatorze ans étendu dans le lit de ma chambre, dans la maison de briques rouges. Ses cheveux noirs couvrant à demi ses yeux. Sa culotte blanche enroulée autour de sa cheville droite. Son sourire un peu croche. Sa voix à peine audible. Je me vois, moi. Mon corps de douze ans et ma langue qui serpente le long de sa cuisse gauche. J'arrive presque à retrouver son odeur. J'arrive presque à revivre le vertige de cette nuit où j'ai découvert à quel point la peau d'une fille pouvait être lumineuse, à quel point je me sentais vivant alors que mon souffle rebondissait sur cette peau dans l'air impeccable de la nuit.

J'ouvre les yeux et je vois Célestine. Ses yeux brun profond allant çà et là. Elle semble vouloir me demander à quoi je pensais, mais j'ai l'étrange certitude qu'elle ne le fera pas. Elle me fait signe de continuer à la suivre. Je remarque qu'il y a de l'art contemporain partout. Je reconnais une toile de Cy Twombly. Elle me dit que le peintre a offert ce tableau à son père lors d'une rencontre en Italie.

Elle ouvre la porte de sa chambre et m'ordonne de l'attendre dans son lit pendant qu'elle va chercher quelque chose, me lance un regard espiègle et se pavane en sortant.

Je regarde les différentes affiches aux murs. Une de Kurt Cobain entre deux de Rimbaud sur le mur devant moi. Une de Rimbaud entre deux de Kurt Cobain sur le mur derrière moi. Les murs à ma gauche et à ma droite sont sans décoration. Je vois du linge sale par terre. Je prends un t-shirt, le hume. Cette chambre est intoxicante. Je me laisse tomber sur le lit et ferme les yeux. Je vois la peinture de Cy Twombly. Ses lignes gribouillées, enchevêtrées, vestiges de ses années comme cryptographe dans l'armée rappelant un peu les graffitis dans les toilettes publiques.

Un souvenir prend forme. Je ne vois d'abord qu'une figure sombre et une cabine de toilettes. Le reste est flou. Je me concentre, arrive à voir une image plus nette. Je suis à genoux. J'ai quinze ans. Je suis à Toronto pour une sortie scolaire. Je suis tellement mal que je n'arrive pas à viser la cuvette. Quelqu'un m'a filé de la drogue sans me dire ce que c'était, mais en m'assurant que ce serait merveilleux. Ça ne l'est pas du tout. L'image change progressivement alors qu'un autre fragment de souvenir affleure. J'ai douze ans. Je suis dans une petite barque, dans la baie des Chaleurs. Les vagues font doucement bouger l'embarcation. Le vent a le souffle chaud. Paul, mon meilleur ami, est avec moi. Nous pêchons. Du maquereau. Nous parlons de ce dont parlent les jeunes garçons. De voitures, j'imagine. Après une pause dans notre conversation, je commence à lui raconter mes activités avec Sabine. Il devient très sérieux et me dit que je dois arrêter, que j'irai probablement déjà en enfer à cause de mes gestes, que je devrais aller me confesser le plus tôt possible, qu'il a peur pour moi. Au début, je ne comprends pas sa réaction et décide de faire semblant que moi aussi j'ai peur et que je me sens coupable. Je ne saurais compter le nombre de fois où j'ai dû faire semblant face à tous les jugements cathos proférés par les habitants de mon village. J'étais sexuellement éveillé à l'âge de sept ans, mais j'ai dû longtemps jouer le jeu de l'innocence de l'enfance. Déjà j'étais résilient.

Je sens une pression ultralégère sur ma cuisse. Je crois que c'est un insecte et tente de retourner dans mes souvenirs. Mes paupières se mettent à cligner d'instinct et j'ouvre un peu les yeux. J'aperçois ses cheveux, ses lèvres parfaites. Je cherche désespérément quelque chose de cool à dire. *Clunk. Clunk. Blank.*

Elle ouvre la main droite et me fait signe avec la main gauche de me relever. Je suis encore un peu sonné, mais j'arrive à m'extraire de mes errances diurnes et à revenir à la réalité incertaine de cette chambre. Elle m'offre la courbe parfaite de son sourire et me dit que ce sont des cachets d'ecstasy. Je suis dans une période où j'évite les drogues autres que l'alcool et la cigarette, mais cette situation appelle une exception. Une partie de moi-même veut fuir, mais une autre, qui a développé une dépendance à toute forme d'expérience, tabasse la première jusqu'à la soumission. Mon esprit est grand ouvert. Tout peut entrer. L'instinct mène.

Mes yeux se ferment. Ma mâchoire tombe. Célestine pousse mon corps et se couche à mes côtés. Elle se met à rire. Elle me dit qu'elle a pris ses cachets il y a une demi-heure et qu'elle commence à en ressentir les effets. Il y a un silence qui dure une période indéterminée, puis encore son rire. Je lui demande ce qui lui arrive. Elle dit qu'hier, elle lisait comment Verlaine avait fait découvrir l'absinthe à Rimbaud, mais que là, c'était elle qui m'attirait dans les chemins de traverse. Je lui réponds que je connaissais l'ecstasy longtemps avant elle mais n'avais simplement jamais eu envie de l'essayer. Elle roule sur moi et me regarde comme jamais personne ne m'a regardé, puis m'embrasse comme personne ne m'a jamais embrassé.

Normalement, je n'aime pas particulièrement embrasser, toujours impatient de passer aux choses sérieuses. Là, c'est différent. C'est une découverte. C'est comme la première fois où Sabine m'a poussé vers le lit, dans la chambre de ma maison de fin d'enfance, pour me faire accéder à cet état que je ne comprends pas encore tout à fait. Alors que la bouche de Célestine passe de ma propre bouche à mon cou à ma poitrine et à mon ventre, je me rends compte que ce n'est que la deuxième fille dans l'histoire de mon apprentissage sexuel d'une décennie à laquelle j'ai donné le contrôle. Avec toutes les filles entre Sabine et elle, j'ai été une sorte de doux tyran. Je les ai laissées croire qu'elles décidaient, mais elles faisaient toutes exactement ce que je voulais.

Il n'y a pas de musique et ça m'effraie un peu. Je ne sais pas pourquoi. Il n'y a que le son de mes pensées mélangé aux bruits de ses lèvres et de sa langue. Je ferme les yeux et vois le lilas juste à côté du vieux chêne auquel je grimpais toujours sur la ferme de mon grand-père. J'ai l'impression de pouvoir humer les fleurs. J'en vois une de très près. Elle explose. J'ouvre les yeux et constate que moi aussi j'ai vécu une petite explosion dans la bouche de Célestine. Je commence à lui faire des excuses, mais elle me dit que c'est exactement ce qu'elle voulait. Elle prend des mouchoirs, nous essuie, ferme la lumière et vient se blottir contre moi. Elle s'accroche à moi comme si j'étais la seule autre personne vivante sur Terre et nous nous endormons comme si nous étions les deux côtés d'une même épée chatoyante. Une épée dont je ne sais pas encore qui en sera la victime.

77

Matin. Elle dort encore. Elle est toujours le plus bel être humain que j'ai eu le privilège de regarder. Cet instant me fait peur pour plusieurs raisons. La première étant l'absence du désir de fuite. Qu'est-ce qui m'arrive? Suis-je heureux? Pas possible. Je voudrais rester avec elle. Je voudrais la protéger. Je ne sais pas comment je ferais, puisque je suis à peine capable de m'occuper de moi-même.

Dehors. J'entends des enfants qui jouent. J'espère qu'ils ne la réveilleront pas. Je ne veux pas que ça finisse. Je veux juste demeurer là à ses côtés et la regarder alors qu'elle murmure quelque chose d'inintelligible et se rapproche de plus en plus de moi. Ma peau n'a pas souvenir d'avoir ressenti une telle chaleur.

Elle se réveille. Elle veut recommencer. Je lui demande si on peut juste rester là comme ça, côte à côte, et parler. Elle accepte. Le silence s'installe. Ses lèvres se meuvent, mais aucun son n'est produit. Elle me regarde, cligne trois fois des yeux et approche sa bouche de la mienne. De la chaleur. De la chaleur épaisse, merveilleuse, inquiétante.

78

Chalet. Val-David. Premier jour. Première chanson. J'ai apporté avec moi deux guitares, une Taylor et une Martin, ma machine espresso, mon moulin à café, plusieurs paquets de café Saint-Henri Holy Cow, *Les illuminations* de Rimbaud, *Le gardeur de troupeaux* de Pessoa, des vêtements, de la nourriture et mon iPhone.

Le premier accord. Ce sera un *la* mineur, comme presque toujours. Je ne sais pas pourquoi, mais je peux rarement me passer de cet accord. Il appelle ma voix. Je plaque encore et encore, mais rien ne sort de ma bouche. Je décide de ne pas forcer.

Je me fais un café. Je sors dehors, bois mon café en fumant une cigarette. Je laisse monter des images d'Évelyne. Des parties de son anatomie. Cheville droite. Le petit grain de beauté à la naissance de son cou-de-pied. Le chemin qu'empruntait ma langue entre sa nuque et sa chute de reins. Ses mains délicates. Ses yeux qui cherchaient toujours à comprendre ce qui se cachait derrière mes balbutiements. Ses lèvres entrouvertes à tout moment, prêtes à laisser échapper une parole espiègle.

Je rentre dans le chalet, reprends la guitare. Je ne trouve rien à chanter. Je passe à un *do*, mais ça n'appelle aucun mot. Il y a une mélodie naissante, mais je n'arrive pas à y coller autre chose que des syllabes dénuées de sens. J'enregistre quand même. Je recommencerai plus tard. Je vais aller à Val-David prendre un meilleur café.

79

Val-David. Je me suis installé au Général Café avec l'intention d'écrire des paroles pour la première chanson. Rien ne vient. Je n'arrive pas à condenser. Ce que j'ai vécu avec Évelyne se voulait expansif, mouvant. Ce que j'ai vécu avec Évelyne n'était censé être qu'une partie infime de notre histoire. Je ne l'avais pas tout à fait saisi quand elle était là, mais j'ai maintenant l'intime conviction que je la cherchais déjà dans les yeux de Sabine, dans la folie de Célestine.

Il y a eu des moments pendant notre voyage où j'ai même imaginé fonder une famille avec elle, très brièvement, car cette idée allait à l'encontre du précepte fondamental de ma mythologie personnelle. Si j'arrivais à entrevoir cette possibilité, c'était d'ailleurs en évacuant l'idée que l'enfant serait composé à moitié de mes gènes à moi. Ç'a toujours été ça, je crois, mon obsession. Je ne peux supporter l'idée qu'il y ait en ce bas monde un être qui puisse, ne serait-ce qu'un peu, me ressembler. J'ai attrapé, sans doute dès la petite enfance, le virus après moi, le déluge.

CRAIG WALCOTT

Il m'a abandonné. Il n'a jamais réellement su être là pour moi, de toute façon. Il était tellement préoccupé par ses petits poèmes et ses petites chansons. Enfant, il était presque là. Quand ma mère est morte, il était presque avec moi à l'hôpital. Presque entier à mes côtés. J'ai presque senti sa présence, sa chaleur humaine au moment où elle est partie. Je crois même qu'il m'a touché, qu'il a frôlé mon épaule avec sa main gauche. Juste frôlé. Il n'a jamais compris que ce que je voulais, c'était qu'il me prenne dans ses bras, que je sente réellement qu'il était là. Mais j'étais surtout une sorte de divertissement pour lui. Il n'a jamais su me prendre au sérieux. Comme il n'a jamais pris quiconque au sérieux, je pense. Je n'ai jamais compris comment il a réussi à séduire autant de gens, à faire en sorte que tant d'entre nous soient prêts à le suivre n'importe où. Celui que j'ai considéré comme mon ami le plus cher n'existe pas. Il n'est qu'illusion. Je crois qu'il ne s'en rend pas compte. Il ne semble pas se poser trop de questions. Il flotte, comme il a toujours flotté. Quand je l'ai aperçu dans ce café de Griffintown, avec cette fille beaucoup trop jeune pour lui, j'ai su tout de suite qu'il la voyait, elle. Il la voyait en entier. Elle n'était pas qu'un fragment vacillant au milieu de ses mondes imaginaires, comme je l'avais toujours été.

80

Tōkyō. Je rencontre finalement le professeur Aoki. Cette fois, il m'a donné rendez-vous à l'Aoyama Flower Market Tea House. Il arrive avec une demi-heure de retard, accompagné de son assistante, Mariko.

— Désolé pour le retard. Mariko avait besoin d'une nouvelle pile pour son iPhone. Il y avait affluence au Apple Store.

— Pas de problème. C'est un endroit très agréable, ici.

— On est benaise, hein ? Ha ha !

— Vous vous mettez à l'acadien, maintenant ? Vous avez déjà maîtrisé le saguenéen ?

— C'est ça ! C'est ça ! Je vais apprendre à *wirer les mouches à feu* !

— On s'est manqués l'autre jour. Vous n'êtes pas venu au restaurant de burgers dans Omotesando Hills.

— Je vous ai envoyé de l'agréable compagnie pour me faire pardonner mon absence. N'est-ce pas ?

— Pardon ?

— Les deux Texanes. Elles sont quand même appétissantes, non ?

— Vous me les avez… envoyées ?

— Pas exactement. Ce sont des connaissances de Mariko. Elle leur a conseillé d'aller luncher là au moment où nous devions nous rencontrer, au cas où je serais retenu par un autre dossier.

— Vous vous occupez très bien de moi.

— Vous avez donc réussi à les charmer, à faire en sorte que leurs hardes deviennent si lourdes à porter qu'elles s'en délestent avec délectation ?

— Pas exactement, non. Je crois qu'elles étaient partantes, mais c'est moi qui ai reculé.

— À cause de cette fille pour laquelle vous avez composé ces douze nouvelles chansons ?

— Exactement.

— Mais vous arrivez aisément à honorer Akiko, d'après ce qu'on me dit. Vous semblez plutôt vaporeux comme amant, mais vous l'honorez quand même. Est-ce que c'est parce qu'elle est nipponne et donc un peu moins réelle dans votre esprit tordu d'Occidental ?

— Je… je sais pas. Elle me demande rien. Elle s'offre.

— Tiens, Piers Faccini.

— Quoi ?

— La musique.

— Ah ?

— Vous ne connaissez pas ?

— Pas vraiment, non.

— Vous devriez. Vous trouveriez peut-être des clés dans sa musique.

— Des clés ?

— Pour comprendre.

— Quoi ?

— Évelyne.

— Je vous ai jamais dit son nom.

— J'ai tout vu, à Hiroshima.

— Je commence à penser qu'il y a un coup monté.

— Je vous l'ai dit. L'Univers aime l'ordre. Vous vivez simplement votre destin.

— J'ai l'impression qu'il est pas fluide, ce destin. Pas naturel, manipulé.

— Tout est toujours manipulé. Il faut choisir soit de se laisser porter et d'*enjoyer*, soit de refuser et d'affronter. Vous pouvez faire un choix, mais surtout, surtout, ne *worriez pas votre tête* ! Ha ha !

— Vous savez vraiment très bien vous divertir.

— Vous aussi, d'après Akiko. Est-ce qu'elle suffit, d'ailleurs ? Mariko tenait à m'accompagner ici, au cas où vous auriez envie d'une *petite vite*. Ha !

— Vous êtes prof ou pimp ?

— Je ne suis qu'un outil du destin.

— Je commence à avoir envie de croire de nouveau au hasard.

— Ça passera. C'est le destin qui vous a mené jusqu'ici. Il n'est pas magnifique, ce café, avec toutes ces couleurs, toutes ces fleurs autour de nous ?

— Oui, mais je me méfie un peu de vous.

— Je vous l'ai dit, je ne suis qu'un instrument du destin. Je ne suis qu'un « ami qui vous veut du bien », ha ha ! « Tu t'occupes de ta femme et je m'occupe des enfants. » Ha ha ! Qu'il était drôle, ce film !

— Vous me perdez encore, là.

— Laissez-vous porter. Laissez-vous porter.

— Vous aviez des questions, il me semble.

— Donc, pas de petite vite avec Mariko ?

— Plus tard, peut-être. Vous êtes absolument délicieuse, mademoiselle. Je suis juste un peu fatigué en ce moment. Je suis flou et mou de partout.

— Quand vous voudrez.

— C'est noté.

— Dans la forêt, vous n'avez jamais, jamais été accompagné ? Vous avez réussi à tenir trois mois sans présence féminine ?

— J'avais un fantôme avec moi qui tenait toutes les femmes à l'écart.

— Et ce fantôme vous a donné son opinion sur vos chansons ?

— Non. Autant Évelyne était volubile en personne, autant comme fantôme, elle est complètement muette.

— Vous auriez aimé qu'elle vous dise quoi, au juste ?

— Pourquoi elle est partie.

— Mais vous devez le savoir.

— Je cherche depuis le moment où elle est partie.

— Et vous ne trouvez même pas une petite piste à l'intérieur de vous ?

— Non.

— Et dans les chansons, il n'y a pas un début de réponse ?

— Dans les chansons, il y a elle. Tout ce qu'elle a été pour moi. Toutes ses contradictions.

— Comment avez-vous parlé de ses contradictions ?

— Je sais plus. J'ai déjà un peu oublié…

— Ce n'est pas possible. Vous ne pouvez pas oublier ces chansons. C'est tout ce qu'il vous reste.

— Je sais plus respirer.

— Comment ?

— Je sais plus respirer comme avant. Les notes sortent plus comme avant. Elles manquent de rondeur.

— Vous avez une guitare avec vous ?

— Non.

— Pourquoi ?

— Je voulais pas m'encombrer. Je suis pas venu ici pour faire de la musique.

— Seulement en parler ? Seulement regretter ?

— On dirait.

— Et votre mère ?

— Ma mère ? Pourquoi me parlez-vous de ma mère ? Qu'est-ce que vous savez de ma mère ?

— Je sais qu'elle n'est jamais revenue du Portugal.

— Comment savez-vous ça ? Qui vous a dit ça ?

— Mais vous, mon cher *Bourque-san*.

— Quand ? Je m'en souviens pas.

— *Le Devoir*, 25 avril 2012. Vous vous êtes, comme d'habitude, trop dévoilé en donnant une interview. Il faut apprendre à laisser planer un petit mystère, mon très cher.

— C'est vrai. J'ai jamais eu de filtre. Je raconte n'importe quoi à n'importe qui. C'est pas toujours la vérité, en plus. Mais même quand j'invente ce que je raconte, je finis par y croire. J'ai toujours du mal à départager le vrai du faux. Ça compte pas beaucoup pour moi, de toute façon. Ce qui m'intéresse, c'est la construction de l'histoire.

— Pourquoi cherchez-vous tant à savoir ce qui s'est passé avec Évelyne ? Pourquoi ne pas simplement l'inventer et passer à autre chose ?

— Parce que c'est une fille. Les filles, c'est l'exception. Avec elles, je veux toujours connaître la vérité.

— Mais ce n'est pas possible ! Les filles ne disent jamais toute la vérité. Les hommes sont trop fragiles pour l'entendre et elles le savent très bien !

— Peut-être. Mais je crois pas pouvoir abandonner. Je peux pas accepter qu'on me mente. Même si c'est pour me protéger.

— Mais vous devez l'accepter, *Bourque-san*. Il n'existe pas d'autre réalité que celle-là. Comme le dit votre poète montréalais qui aime se faire frapper avec des bâtons de bambou – le con ! : « *There is a war between the rich and poor, a war between the man and the woman.* »

— *Yeah, well, I don't want to come on back to the war. I've been wounded and I'm fucking suffering from PTSD !*

— Vous allez vous en remettre. Tout passera par les chansons.

— Et les autres filles ?

— Et les autres filles. Ça vous en prend combien pour en oublier une, normalement ?

— Au moins une douzaine. Avec Évelyne, j'arrive même pas à imaginer un nombre.

— Soyez patient. Demeurez attentif aux signes. Succombez à toutes les tentations ! Votre voie, c'est l'excès. Vous vous perdez lorsque vous vous écartez du chemin de l'excès.

— Vous êtes fou, mais vous avez possiblement raison.

81

Je ne sais plus quoi faire. J'ai l'impression de tourner en rond à Tōkyō. J'ai été bien accueilli. Le professeur Aoki a été très généreux avec moi. Akiko et Mariko aussi. Je ne comprends pas tout à fait ce qui se passe, pourquoi je devrais rester encore ici. Je ne sais pas davantage pourquoi je devrais partir. Je ne sais pas non plus où je devrais aller si je décidais de le faire.

Je ne peux pas retourner à Montréal maintenant. Je dois absolument laisser passer un peu de temps. Je ne peux pas aller en Acadie, ni à Monkeytown ni dans ma famille. Peut-être au Cap-Breton ? C'est l'Acadie, mais il y a ce monastère tibétain où je pourrais aisément me cacher pour une période indéterminée. Je risquerais de croiser certains de mes fantômes affamés si je me mettais à méditer dix heures par jour. Je ne sais pas si j'ai la force de les affronter.

Il y a un fantôme qui prend plus de place que les autres. Celui de ma mère. Celui de Césaria Bourque, née Antunes.

82

C'est décidé, je vais partir. Je vais laisser derrière moi mes mirages tokyoïtes. Tout compte fait, ce fut merveilleux de me faire un peu mener en bateau par le professeur Aoki. Ce fut merveilleux de me laisser flotter avec Akiko. Elle sait si bien me désincarner. Je n'ai malheureusement pas pu trouver le moyen de casser la croûte avec Robin Savoie, mais je sais que ça viendra. Je ne me tiens jamais éloigné très longtemps du Bas-du-Fleuve.

J'ai trouvé un billet. Je vais aller là où sont nés tous mes désirs d'errance, là où ce que je cherche dans les yeux de toutes les filles qui me bouleversent s'est évaporé. Je vais aller dans la ville qui a avalé celle qui m'a créé. Demain, je m'envole pour Lisbonne.

83

Devant le Tage. Épuisé et exalté. Je me suis installé sur la terrasse du Museu da Farmácia. Autour de moi, de jeunes touristes allemands, français, russes, danois. Lorsqu'elle prend ma commande, la serveuse semble vouloir refuser que je prenne à la fois un café et un coca. C'est trop pour elle, ce côté excessif typiquement américain.

Il y a du wifi. Je décide d'aller voir ce qui se passe dans mes boîtes de messagerie. Je vérifie d'abord mes courriels. Il y en a des centaines que je n'ai pas lus. Je les regarde un par un, sans les ouvrir. Jusqu'à ce que je tombe sur un message de Kazuo. Le sujet : Évelyne. Je l'ouvre.

A,

Je l'ai vue. Elle était seule. Elle lisait. Je n'ai pas eu la force de l'approcher. Elle était trop parfaite. Sereine. Tu ne devrais plus la chercher. Elle semble vivre mieux sans toi.

Amitiés,

K

Je me fige. Elle est vivante. C'est tout ce qui compte. Mais non, en même temps. Elle est vivante et elle vit mieux sans moi. Il n'y a pas de plus grande trahison. Je veux hurler. Je veux me rendre à Grenade et menacer Kazuo d'exactions physiques jusqu'à ce qu'il accepte de me dire où exactement il a vu Évelyne ; quand, exactement, il a vu Évelyne ; et ce que, exactement, Évelyne lisait. Si au moins c'était un de mes livres qui lui avait procuré cet air de sérénité, la trahison en serait un iota moins difficile à avaler.

Je bois mon café d'un trait, j'avale mon coca si vite que je m'étouffe et qu'il m'en sort par les narines. Je fulmine. Je me lève, jette quelques euros sur la table et commence à marcher dans la Baixa. Quand la colère monte aussi brutalement, je dois marcher et marcher et marcher.

C'est la première fois que j'entrevois la possibilité, réellement, viscéralement, que le départ d'Évelyne puisse avoir été volontaire et qu'elle puisse non seulement vivre sans moi, mais vivre mieux sans moi. Qu'elle soit morte, assassinée, découpée en petits morceaux et envoyée par la poste à Dresde, Tombouctou, Yokohama et Dildo, Terre-Neuve, aurait été plus facile à avaler que ce foutu message de Kazuo. Vivre mieux ? Sans moi ? Comment est-ce possible ?

84

Le fantôme de ma mère devra attendre. J'ai loué une voiture. Je roule à toute allure vers l'Algarve. Je ne m'arrêterai pas avant Lagos, où je sauterai brièvement dans la mer enveloppée de falaises ocre.

Lagos. Nous sommes début juin et l'eau me semble encore froide. Je plonge quand même pour éviter d'avoir honte devant ce qui paraît être l'équipe nationale de volleyball féminin du Danemark. Six grandes blondes aux jambes infinies. Je ne peux pas compter le nombre de fois dans ma vie où je me suis fait volontairement souffrir pour être à la hauteur de ce que je croyais être les attentes des filles.

Une fois passé le choc thermique, je me retrouve. J'ai dix ans. Je nage dans la baie des Chaleurs. Je passe le plus clair de mon temps sous l'eau. Je suis né pour ça. J'ai quinze ans. Je nage dans le golfe du Mexique, à St. Petersburg, en Floride. Mes parents boivent de la bière sur la plage en riant. J'ai vingt-cinq ans. J'écoute les baleines chanter dans l'océan Pacifique, à San Marcos, au Mexique. J'ai vingt-sept ans. Je plonge dans la mer des Caraïbes depuis la plage de sable noir tout près de Limón, au Costa Rica. Je suis avec un/e ami/e. Hida est un/e hermaphrodite de San Francisco avec qui je voyage. Il/elle est pompier et rêve de devenir le/la premier/première mannequin de ce genre pour Calvin Klein. J'ai vingt-huit ans. Je nage dans la Méditerranée avec Hope, aux abords d'Antalya, en Turquie. Je crois que cette histoire va durer. Je me trompe, comme toujours. J'ai trente-sept ans. Je nage seul dans la mer des Caraïbes, à Santiago de Cuba. C'est bientôt Noël. J'ai quarante-cinq ans. J'ai fêté mon anniversaire dans un bar de karaoké avec Akiko et Mariko. Je les ai laissées s'amuser entre elles, sans dire au revoir. Je nage à Lagos pour impressionner une bande de filles de vingt ans alors que je cherche à retrouver une autre fille de vingt ans qui ne veut probablement plus rien savoir de moi. Je devrais dire que je suis pathétique mais, sans doute afin de me sentir moins seul, je choisis de dire que tous les hommes sont pathétiques.

85

Alcantarilha. Je me suis arrêté dans cette petite ville de l'arrière-pays pour dormir quelques heures. Je ne visiterai pas les deux attraits du lieu : Aqualand, un grand parc aquatique conçu pour toute la famille, et la Capela dos Ossos, une petite chapelle faite d'ossements humains, sorte de miniversion de celle d'Évora, dans l'Alentejo. Je passerai la soirée et la nuit à l'Hotel Capela das Artes, je fumerai beaucoup trop de Marlboro, m'endormirai en lisant *Un cendrier plein d'ancêtres* de Paul Bossé, me baignerai dans la piscine au réveil et reprendrai la route demain matin.

86

Tavira. Je suis dans l'ouest de l'Algarve. La frontière espagnole n'est plus très loin. Je bois un épatant jus d'orange accompagné d'un café bica et d'un coca, comme d'habitude. La caféine doit arriver chaude et froide dans ma gorge. C'est comme ça depuis toujours. Le lieu s'appelle Goji. Encore le Japon qui ne me lâche pas.

Plage de l'Ilha de Tavira. Il vente. Je me fais fouetter par le sable en pensant à la première fois où Évelyne m'a demandé de chanter pour elle. Nous étions dans une maison louée à Beacon Hill, Boston. Elle était étendue sur un divan Second Empire, un gin tonic dans la main gauche et une revue *MilK Decoration* dans la main droite. Il y avait une guitare acoustique posée sur un fauteuil Wassily à l'autre bout de la pièce.

— T'as pas envie de me jouer quelque chose ?

— Pas vraiment.

— Ah, *come on !*

— Pourquoi ?

— J'aimerais ça.

— T'as tous mes albums dans ton iPhone. Je peux te prêter mes écouteurs.

— Trou de cul !

Je n'ai pas chanté pour elle. Je n'ai jamais chanté pour elle avant de composer dans la forêt ces douze chansons qu'elle n'entendra probablement pas.

87

Grenade. Je mange des tapas avec Kazuo. Je n'ai pas eu à le menacer. Il a compris que je ne me maîtrise plus. Je croyais dur comme fer qu'elle était morte ; j'ai maintenant devant moi un témoin qui m'affirme le contraire.

— Où ?

— Ici.

— Dans ce bar ?

— Non. Dans un petit café.

— Elle était seule ?

— Oui.

— Elle faisait quoi ?

— Elle lisait.

— T'as vu le livre ?

— Oui.

— Attends. Pourquoi tu lui as pas parlé ? Tu la connais. Elle te connaît. Vos regards se sont pas croisés ?

— Non. Je ne voulais pas lui parler. Elle était trop parfaite.

— Comment ça ?

— Elle me semblait incarnée.

— Avec moi, elle l'était pas, incarnée ?

— Non.

— Elle était quoi ?

— Subjuguée.

— OK… Qu'est-ce qu'elle lisait ?

— Un guide de voyage.

— Un guide de voyage ? Sur Grenade ?

— Non.

— Crache ! La fucking destination !

— Madère.

— Au Portugal ?

— C'est ça.

— J'arrive de Lisbonne.

— Je sais.

— On s'est peut-être carrément croisés sur la route.

— Tu devrais l'oublier.

— Je peux pas. Tu sais que j'ai essayé. Depuis bientôt sept mois que j'essaye. Je suis allé à l'autre bout du monde pour l'oublier.

— Ce n'était pas assez loin.

— Je dois aller à Madère.

— Tu crois vraiment que tu vas réussir à la trouver ? Tu ne sais même pas ce qu'elle utilise, comme nom.

— Je dois essayer. Qu'est-ce qu'elle peut bien aller chercher là-bas ?

— Des oiseaux de paradis ?

— Des fleurs ? Je sais pas. Je sais pas vraiment ce qu'elle aimait, côté fleurs. Je devrais le savoir, mais je sais pas.

— Madère est une île très fleurie.

— T'as vu personne d'autre avec elle ? T'en es certain ? Rien qui pouvait indiquer qu'elle était contrainte d'être là ? Elle a pas reçu d'appel, de texto, quelque chose ?

— Rien.

— Tu l'as suivie quand elle est partie ?

— Je suis parti avant elle.

— J'arrive pas encore à croire que tu l'as pas abordée. Ça me rend fou ! Elle était là, devant toi ! Tu sais très bien comment je souffre de son absence et tu la laisses tranquille parce qu'elle est trop parfaite ? Fuck you ! Comment tu peux me faire ça ?

— Elle ne t'appartient pas. Il faut la laisser s'envoler.

— Je peux pas. J'ai besoin de savoir.

— Quoi ?

— Ce que j'ai fait ! Quel est mon crime !

— Et si elle ne veut pas te le dire ? Tu feras quoi ?

— Il me semble qu'elle comprendra que j'ai le droit de savoir.

— Qu'est-ce qui te dit qu'elle le sait ? Parfois, il n'y a pas de raison, seulement une intuition.

KAZUO KONIBA

Elle me donne le vertige. Je l'avais croisée seulement une fois avant de l'apercevoir à nouveau sur la terrasse de ce café de Grenade. Elle était si sereine, si gracieuse, ses cheveux tombant sur ses épaules revêtues d'un magnifique poncho mauve. Lorsque Antoine me l'avait présentée, j'avais, je crois, réussi à dissimuler l'immense trouble qu'elle provoquait en moi.

88

Funchal. Hotel Monte Carlo. J'ai réussi à trouver un vol Grenade-Madère ce matin. Je regarde la plus grande ville de cette île au large de la côte africaine. Je ne sais pas du tout comment procéder. Je ne sais pas comment je vais arriver à la retrouver, ni ce que je ferai quand je l'aurai en face de moi. Si elle est ici, j'ai une petite chance de la croiser. Je vais d'abord sillonner les rues de la capitale quelques jours, puis explorer chaque recoin de cette île.

Je descends la rue abrupte menant de l'hôtel vers le port et le Mercado dos lavradores, le marché des travailleurs. J'ai l'impression que ce lieu pourrait avoir un pouvoir d'attraction sur Évelyne. Elle aime les fleurs, je crois.

Arrivé au marché. Je ne croise que des touristes britanniques descendus de leur énorme bateau de croisière pour quelques heures. Je montre à différents marchands une photo d'Évelyne gardée sur mon iPad. Rien. Personne ne l'a aperçue ici. Je quitte le marché. Je me rends jusqu'au téléphérique. Je veux monter jusqu'au Jardin botanique. Je vois qu'il y a une fille qui prend des photos de tous les touristes alors qu'ils s'installent dans les cabines. J'offre de lui acheter toutes les photos prises depuis une semaine pour cent euros. Elle accepte. Je lui donne mon adresse courriel. Elle promet de m'envoyer les liens Dropbox d'ici la fin de la journée. Je vais pouvoir consulter tout ça ce soir, à l'hôtel. D'ici là, je vais monter en tentant de maîtriser mon vertige intermittent.

Durant l'ascension, j'observe les cabines qui vont dans le sens contraire de la mienne. La plupart sont vides. Le temps n'est pas encore venu pour les touristes britanniques de regagner leur navire.

Soudain, une impression étrange. Une cabine croise la mienne. Elle est occupée. Une personne seule. Une personne dont je crois reconnaître un peu trop le lexique corporel. Je dis « je crois », car je suis à peu près certain d'halluciner. Ce n'est pas possible. Je ne peux pas être si près d'Évelyne alors qu'elle est hors d'atteinte.

Je hurle. Elle ne m'entendra pas, mais je hurle quand même. Je hurle non seulement pour elle mais pour toutes les filles que j'ai connues et perdues, toutes les âmes instables que j'ai voulu mêler à la mienne. Je hurle, car je ne sais pas comment exister sans elles. Si je creuse et creuse dans mes souvenirs, si je trouve la voie souterraine, à travers roc et sédiments, jusqu'à l'essence de ce que je suis, au fondement de ce qu'on pourrait appeler ma personnalité, il y a les filles.

Dans le monde tout en angles de mon enfance, les filles offraient leurs courbes, non seulement corporelles, mais aussi celles de leurs pensées et de leurs émotions. Je n'aurais jamais pu traverser ni cette période charnière de ma vie, ni n'importe quelle autre sans tout ce que les filles ont déposé sur mon chemin.

Comme si elle m'entendait, Évelyne se tourne lentement vers moi. Je n'arrive pas à discerner si c'est bel et bien vers moi qu'elle se tourne, le soleil ayant décidé, à cet instant précis, d'inonder son visage de lumière. D'une main que je devine tremblante, elle écarte alors son poncho mauve et dévoile, pour moi et pour moi seul, la vertigineuse rondeur de son ventre.

Montréal, le 10 janvier 2016

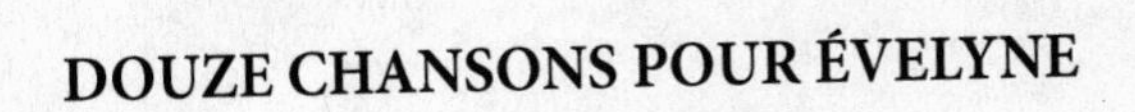

DOUZE CHANSONS POUR ÉVELYNE

Boussole

sans savoir comment perdre le nord
j'ai scruté tes seins de bord en bord
oublié comment retrouver enfin
ta voix de petit matin

non, tu n'es pas devenue folle
c'est moi qui ne sais plus
comment faire marcher ma boussole
c'est moi qui ne sais plus

sans savoir comment respirer cet air
je me suis vautré dans tes frontières
j'ai proposé tant de traités
tu ne savais plus comment m'appeler

non, tu n'es pas devenue folle
c'est moi qui ne sais plus
comment faire marcher ma boussole
c'est moi qui ne sais plus

Forêt

dans cette forêt beaucoup trop dense
j'ai cherché à retrouver la lumière
celle que j'avais perdue entre les branches
celle de tes yeux devant la mer

forêt, forêt, ramène-la-moi
laisse-la humer tous tes parfums
forêt, forêt, je me donnerai à toi
si tu fais en sorte qu'elle croise mon chemin

sous les chasseurs de l'armée de l'air
nous avons plongé tête première dans l'écume
entre nos cris d'enfants stellaires
nous avons voulu briller autant que lunes

forêt, forêt, ramène-la-moi
laisse-la humer tous tes parfums
forêt, forêt, je me donnerai à toi
si tu fais en sorte qu'elle croise mon chemin

entre mes gestes brusques et arides
j'ai cherché à atteindre tes ombres
je ne savais plus faire parler mes vides
je ne savais plus colorer tes ombres

forêt, forêt, ramène-la-moi
laisse-la humer tous tes parfums

forêt, forêt, je me donnerai à toi
si tu fais en sorte qu'elle croise mon chemin

Virginia Beach

au milieu de cette chambre chargée d'étourdissements
j'ai allumé mille feux sans savoir comment
nourrir le brasier sans brûler tout ce que nous sommes
retrouver l'innocence tout en devenant un homme

au milieu de cette vie je sais qu'il n'y aura que tes yeux
pour guider mon pas entre les appels d'abîmes
il n'y aura plus d'esquives plus de paroles creuses
de ma bouche tous les mots s'envoleront vers les cimes

perdu dans la nuit de Virginia Beach
j'ai baigné ma peau dans des promesses
j'ai décidé de commencer à vivre
brûler un à un tous mes champs de détresse

au milieu d'un chemin de traverse j'ai perdu mes ailes
tu es la seule qui a su voir comme j'étais frêle
tu m'as fait comprendre qu'il y avait encore à faire
avant de toucher du doigt ce qu'il reste du ciel

perdu dans la nuit de Virginia Beach
j'ai baigné ma peau dans des promesses
j'ai décidé de commencer à vivre
brûler un à un tous mes champs de détresse

au milieu des hurlements de mes fantômes affamés
j'ai décidé que je ne serais pas qu'un rescapé

c'est en te voyant que j'ai su qu'il fallait aimer
s'abreuver sans fin d'étoiles explosées

perdu dans la nuit de Virginia Beach
j'ai baigné ma peau dans des promesses
j'ai décidé de commencer à vivre
brûler un à un tous mes champs de détresse

Houston

je devine au loin des nuages qui s'écartent
je devine au loin des pertes de cartes
nous arriverons bientôt dans la ville des pleurs
où tes rêves sont devenus un à un des leurres

Houston nous attend
avec ses feux et ses chapelles
ses sourires de cendres
ses monstres fidèles

je devine au loin une disparition
je devine au loin un changement de nom
j'arriverai bientôt au pays de l'absence
plus rien, plus rien ne sera comme avant

Houston nous attend
avec ses feux et ses chapelles
ses sourires de cendres
ses monstres fidèles

je devine au loin une fuite vers l'avant
je devine au loin un désir de prendre
tous les chemins trop tortueux
sous des ciels juste assez orageux

Mes bêtes

elles savent chasser au plus profond des nuits
elles savent ce qui me fait un peu trop vivre
savent s'arrêter juste avant que je ne pète
elles m'aiment comme elles le peuvent, mes bêtes

mes bêtes ne sont pas toujours si bêtes
elles me permettent parfois d'être
à la hauteur de tes attentes
sous les étoiles ou sous la tente

elles dorment parfois mais seulement d'un œil
elles savent toujours ce qui se trame sur le seuil
du territoire trop vaste de mes craintes
elles guettent, elles grognent, elles grimpent

mes bêtes ne sont pas toujours si bêtes
elles me permettent parfois d'être
à la hauteur de tes attentes
sous les étoiles ou sous la tente

elles savent ronger mes couleurs vives
savent plonger vers l'autre rive
lorsque tu émerges entière
elles n'ont de nez que pour ta chair

mes bêtes ne sont pas toujours si bêtes
elles me permettent parfois d'être

à la hauteur de tes attentes
sous les étoiles ou sous la tente

Frontières

Aux aurores je ne sais plus
ce que j'ai cru
savoir à la lisière de toi
au creux de la nuit noire
aux aurores je ne sais plus
aux aurores je ne sais plus

des frontières nouvelles s'érigent
entre nos os, nos peaux, nos vertiges
des frontières nouvelles s'érigent
je ne sais plus comment te suivre

au mitan du jour j'avale lumière
change mon fusil d'épaule
pas de cible dans cette volière
pas de souffle qui me frôle
au mitan du jour j'avale lumière
au mitan du jour j'avale lumière

des frontières nouvelles s'érigent
entre nos os, nos peaux, nos vertiges
des frontières nouvelles s'érigent
je ne sais plus comment te suivre

à la brunante je t'imagine
éparpillée aux quatre coins
de ce monde troué d'abîmes

d'insatiables gobelins
à la brunante je t'imagine
à la brunante je t'imagine

des frontières nouvelles s'érigent
entre nos os, nos peaux, nos vertiges
des frontières nouvelles s'érigent
je ne sais plus comment te suivre

Beacon Hill

je sais que c'est à Beacon Hill
que s'est fragilisé le fil
qui te liait à moi

je sais que j'ai trop tergiversé
abruptement j'me suis laissé gruger
par mon sens du combat

je sais que je n'ai pas chanté
pour ton oreille finement ourlée
j'n'étais plus tout à fait là

je sais que l'hiver arrive encore
et je ne me sens que trois quarts fort
plus rien dans mon petit doigt

je sais que rien, plus rien ne brille
depuis ce jour à Beacon Hill
je n'ai pu que revenir à moi

Chercheur d'or

Depuis ta disparition je fulmine
je n'invente que des souffleuses de braise
il n'y aura pas d'intervention divine
pas d'icône sur une cimaise
comme Hadrien je décline
je ne m'imprègne que de ma chaise

je ne suis qu'un chercheur d'or
sur les routes ravagées
d'un monde qui se tord
entre mes doigts j'vois tout filer

depuis ta disparition j'hallucine
n'alimente que des spectres agités
j'adhère à d'impossibles doctrines
vers la folie j'me vois pencher
je m'accroche aux plus petits signes
je n'ai pas la force de me poser

je ne suis qu'un chercheur d'or
sur les routes ravagées
d'un monde qui se tord
entre mes doigts j'vois tout filer

depuis ta disparition j'imagine
un horizon qui refuse de se livrer

je ne suis qu'un chercheur d'or
sur les routes ravagées
d'un monde qui se tord
entre mes doigts j'vois tout filer

Brunante

tes yeux juste assez sauvages
me guideront entre mes impossibilités
je louerai tous les clivages
qui me permettront de mieux m'effacer
j'arpenterai tous les rivages
où tu as presque posé pied

à la brunante
la mer trop lente
m'emportera
à la brunante
toi mon absente
tu me tendras les bras

tes mains juste assez brûlantes
me guideront entre tes embrasements
je louerai la lente descente
qui me permettra de mieux m'étendre
j'arpenterai des avalanches
j'avalerai toutes tes nuits blanches

à la brunante
la mer trop lente
m'emportera
à la brunante
toi mon absente
tu me tendras les bras

à la brunante
la mer trop lente
m'emportera
à la brunante
toi mon absente
tu me tendras les bras

Val-David

déjà deux mois que je suis là
à frôler les esprits de la forêt
sans jamais trouver la voie
qui me mènerait à celui que j'étais
déjà deux mois que je suis là
à virer fou à virer vrai

je fais le vide à Val-David
je brûle les étapes
je me sens de plus en plus avide
mais je me ferme la trappe

déjà je sens que j'dégringole
je glisse comme un Vénitien
devant un roi mongol
je n'arriverai jamais à rien
je ne trouverai que le sol
venez, mangez, mes chiens

je fais le vide à Val-David
je brûle les étapes
je me sens de plus en plus avide
mais je me ferme la trappe

déjà la nuit, son pourpre appel
sa profondeur hors du temps
je ne suis pas rien sans elle

mais je ne suis pas quelque chose de grand
tirez, tirez, damnées ficelles
je ne sais plus ce qui me prend

je fais le vide à Val-David
je brûle les étapes
je me sens de plus en plus avide
mais je me ferme la trappe

Loup libéré

il n'y aura pas d'appel sous la pluie
il n'y aura nulle missive sous la lune
bleu je serai comme un Nicolas cassé
verte tu seras comme la mémoire de Ferré
je voulais construire avec toi une meute
je ne chercherai plus que des émeutes

je suis un loup libéré
mais je n'ai plus trop de voix
susurrer à défaut de hurler
mordre que du froid

il n'y aura pas de bouteille à la mer
pas de signaux cachés dans l'éther
noir je serai comme la nuit dans une grotte
blanche tu seras comme une longue note
je voulais toucher avec toi l'indicible
je ne toucherai plus que vides humides

je suis un loup libéré
mais je n'ai plus trop de voix
susurrer à défaut de hurler
mordre que du froid

il n'y aura pas de dessins devinés
sur ton dos offert à mes envolées
rouge je serai comme un automne

mauve tu seras où ça résonne
je voulais brûler pour toi comme une fièvre
me voilà vidé de toute ma sève

je suis un loup libéré
mais je n'ai plus trop de voix
susurrer à défaut de hurler
mordre que du froid

Évelyne

le mois de mai appelle de sa voix claire
il est venu le temps de sortir prendre l'air
je me suis terré assez longtemps
dans cette forêt où je trempe
dans toutes mes petites obsessions
sans jamais faire de concessions
je retourne de ce pas dans la vie
ça ne veut pas dire que je t'oublie

Évelyne j'ai perdu ta trace
Évelyne j'ai perdu la face
je ne t'en veux pas
je ne t'en veux plus
j'ai cru au mirage
mais le mirage s'use

le mois de mai m'invite à me taire
il est venu le temps de laisser mourir la prière
je me suis prosterné assez longtemps
il est venu le temps de prendre
d'autres que toi sous le ciel fâché
d'autres que toi je renverserai
je replonge dans le tourbillon
gorge déployée pleine de chansons

Évelyne j'ai perdu ta trace
Évelyne j'ai perdu la face

je ne t'en veux pas
je ne t'en veux plus
j'ai cru au mirage
mais le mirage s'use

Dans la même collection

Gabriel Anctil, *La tempête.*
Miléna Babin, *Les fantômes fument en cachette.*
Collectif, *La disparition de Michel O'Toole.*
Fredric Gary Comeau, *Vertiges.*
Sylvain David, *Faire violence.*
Stéphanie Lapointe et Rogé, *Grand-père et la Lune.*
Éléonore Létourneau, *Notre duplex.*
Jérôme Minière, *L'enfance de l'art.*
Elsa Pépin, *Quand j'étais l'Amérique.*
Julien Roy, *Gabriel est perdu.*

Suivez-nous :

Réimprimé en mai deux mille seize
sur les presses de l'imprimerie Gauvin,
Gatineau, Québec